지
독
한　하
　　루

지독한 하루

남궁인
지음

문학동네

죽음의 순간,
그 경계를 긋는 일

의학은 과학이다. 과학이란 대체로 특정 자연 현상에 대한 기술과 그를 입증하는 근거 및 객관적인 수치로 이루어진다. 그러므로 의대생이 봐야 하는 수많은 교과서는 대체로 이런 식으로 기술되어 있다. "혈압의 정상치는 수축기 120~140mmHg, 이완기 80~90mmHg이다. 이보다 낮으면 저혈압, 높으면 고혈압이라고 정의한다." 의학은 이런 방식으로 인체를 수치화한다. 따라서 인간의 혈압을 일정 범주에서 객관화하고, 그 이상과 그 이하를 자르듯 경계지어 정상과 비정상으로 구분한다.

의대생 시절, 비슷한 결의 수많은 텍스트를 암기하며 늘 궁금한 것이 있었다. 의학은 궁극적으로 사람의 생사를 다루는 학문인데, '죽음'이나 '죽어가는 순간'도 이렇게 객관적으로 기술되어 있을까. 과연 어떤 순간을 인간이 '죽었다'고 정의할 것인가. 의문은 쉽사리 풀리지 않았다. 나는 아직 알아야 할 것이 많은 학생이었고, 인간으로서 느낄 수 있는 죽음에 대한 근원적인 호기심은 좀처럼 사그라들지 않았다. 책에서는 죽음에 관해 언급할 때 보통 "사망 가능성이 높다" 또는 "죽음에 이르기도 한다" 등의 표현으로 그 정의를 피하거나 뭉뚱그렸다. 결국 그 어떤 글도 이 의문을 속 시원히 풀어주지 않았다. 의사가 되면 사망에 대한 암묵적인 진리를 깨칠 수 있을 거라는 짐작만 할 뿐이었다.

그렇게 죽음이 막연했던 나는 의사가 되어 병원에서 일하게 되었다. 의사 면허를 가진 사람은 누구나 법적으로 사망선고를 내릴 수 있지만, 경험이 전무한 사람이 그런 결정을 내릴 수는 없었다. 그래서 의사가 된 뒤에도 첫 죽음은 주체가 아닌 객체로 목격해야 했다. 그리고 마침내 그 순간을 처음으로 직접 목격한 날, 나는 비로소 죽음의 순간에 대해 깨달을 수 있었다. 그리고 죽음의 순간이 지금까지 책에 전혀 언급되지 않았던 이유도 알 수 있었다.

그 사람은 뇌수술을 받은 중환자였다. 나는 심정지가 발생하자마자 달려가서 심폐소생술을 했다. 그의 흉부가 반복적으로 눌렸고, 어떠한 극적인 일도 일어나지 않은 채 시간이 흘렀다. 지시한 레지던트는 골똘히 모니터를 바라보며 혼잣말을 했다. "뇌출혈 수술 두 번, 뇌간까지 눌려 한 달간 자발호흡이 없던 상태, 심정지 후 26분간 무반응, 아, 이제 안 되겠다." 그는 얼굴을 찌푸리다가 어느 순간, 문득 시계를 보고 말했다. "1시 18분, 사망하셨습니다."

그랬다. 그것은 애초에 어떤 명시적인 선으로도 가를 수 없는 것이었다. 인간의 의식과 호흡이 사라지면, 다시 말해 심정지 상황이 오면, 인간의 모든 기능은 멈춘다. 자연적인 상태에서 이 사람을 그대로 두면, 어떠한 우연도 일어나지 않고 무조건 죽는다. 의학적인 노력이 없다는 가정하에서 심정지는 사망과 동의어다. 그렇다면 우리가 흔히 보는 심전도 그래프가 생기를 잃고 평평한 직선이 되는 순간을 곧 인간이 죽는 순간이라 말할 수 있을 것이다. 하지만 의학에서는 그 순간을 죽음의 순간으로 정의하지 않는다. 의학은 그 사람을 충분히 살려낼 수 있기 때문이다.

심폐소생술이란 인간의 심장을 밖에서 누르는 행위다. 심장이 자발적으로 멈추었을지라도, 그것을 타인이 인위적으로 힘껏 누르면 심장의 기능을 어느 정도 대신할 수 있다. 인체의 혈액을 억지로 순환시키는 그 상황에서, 심장이 자발적으로 멈춘 원인을 알아내고 교정할 수만 있다면 그 사람의 심장을 다시 뛰게 할 수도 있다. 이렇게 되면 살아났다고 표현할 수 있다.

죽음에 대한 판단은 심장이 멈춘 사람의 종합적인 상태를 고려해, 현재 할 수 있는 처치와 노력을 감안했음에도 심폐소생술을 받고 있는 이 사람이 절대로 돌아올 수 없으리라 확신할 때 내릴 수 있다. 반드시 가능성이 0퍼센트여야 한다. 그렇게 모든 미련을 떨치고 확신이 들면, 의사는 모든 노력을 멈추고 사망선고를 한다. 대체로 30분 이상 심정지에서 돌아오지 않거나, 전신 상태가 이미 돌이킬 수 없는 상황이라면 의사는 포기를 떠올린다. 간혹 엄연히 죽음의 경계에 한 발 디뎠던 생生이 한 시간 만에 돌아오는 경우도 있다. 그러나 의학적 노력이 멈추는 순간, 희망은 무無로 돌아가고 환자는 무조건 죽는다.

그러니 가능성 0퍼센트를 확신해야 하는 종합적 판단이 그 찰나에 필요하다. 그렇게 의사는 고뇌하다가 결국 사망을 선고한다.

이 판단과 선고의 책무는 그 환자를 가장 잘 아는 한 명의 의사에게 온전히 주어진다. 그리고 사망하는 순간도 그 한 사람의 판단에 한해 결정된다. 공식적인 멘트조차 정해져 있지 않다. "사망하셨습니다." "돌아가셨습니다." "2시 23분, 사망하셨습니다." "누구누구씨, 지금 사망하셨습니다." "저희가 최선의 노력을 다했지만 돌아가셨습니다." 모두 같은 의미다. 다만 그걸 듣는 사람이, 망자가 이제 자신을 영영 떠나버렸다고 이해할 수만 있으면, 무슨 말이든 상관없다.

처음에는 포기를 결정하는 것 자체가 힘겹다. 그 순간 내가 이 사람에게서 기적이나 희망을 빼앗아버리는 것이 맞는가. 확률상 일어나지 않을 일이라고 머릿속에서 정리했을지언정 그 생각은 좀처럼 떨쳐버릴 수 없다. 이 사람의 사망에 혹여 내가 조금의 과실이라도 더하고 있는 것 아닌가, 그렇다면 어떠한 노력이든 더 해봐야 하지 않을까. 기적이 이 사람에게 올 운명은 아니었을까. 이렇게 조금이라도 바뀔 수 있는 변수를 모조리 생각하고 체념하기까지, 한 인간을 죽었노라 결정하는 것은 그 자체로도 엄청난 심리적 압박을 준다.

이를 이겨내고 결심하면 의사는 알게 된다. 자신의 선고 전후로 망자의 상태가 전혀 달라지지 않았음을. 하지만 누군가 이 경계를 지어주어야만 세상의 질서는 돌아간다. 그 사람은 이미 한참 전에 죽은 사람일 수 있지만, 의사가 포기의 언어를 내뱉는 순간 공식적으로 죽은 사람이 된다. 어쩌면 이 미지의 경계, 사람을 두고 매번 산 자와 망자의 경계를 그어야만 하는 것도 결국 의사가 해야 하는 일이다.

나는 처음으로 사망선고를 하던 순간을 잊을 수가 없다. 암으로 투병중이던 그 사람은 집에서 갑자기 쓰러졌다. 구급대원이 도착했을 때 이미 심장이 전혀 뛰지 않았다. 내 앞에 왔을 때도 마찬가지였다. 보호자들의 말처럼 전신엔 암투병 흔적이 가득했고, 연이은 처치에도 전혀 반응이 없었다. 나는 미동도 없이 사지를 뻗은 모습과 요란하게 눌리는 흉부를 보며, 처음으로 사망선고를 해야 할 상황임을 직감했다. 강렬하게 두려웠다.

몸은 바쁘고 초조하게 움직였지만, 처음 하는 판단이어서 머릿속으로 신중에 신중을 기했다. 몇 번이나 재발한 대장암, 현재 항암 치료중, 심장이 멈추고 반응이 사라진 지 이미 55분째. 이 사람에게서 기적과 우연을 기대하긴 힘들어 보였다. 그래도 나는 끝까지 망설였다. 일반적인 심폐소생술 시간을 지나고서도 한참 더 이어간 뒤에야, 나는 되돌릴 수 없음을 확신했다. 이 정도라면, 이 사람은 한참 전부터 이미 죽어 있었던 것이다.

하지만 모든 과정을 똑똑히 목격한 보호자들은 절대로 그렇게 생각하지 않았다. 방금까지 이야기를 나누던, 사랑하던 사람이 쓰러졌다. 구급대원이 달려와 망설이지 않고 심폐소생술을 하며 이송했다. 맞이한 의료진은 고뇌하며 환자의 흉부를 누르고 숨을 불어넣었다. 그 과정을 지켜본 사람이라면 아직은 희망이 남아 있고 사랑하는 사람이 다시 살아날 거라고 기대하는 것이 당연했다. 이윽고 나는 어렵게 입을 열어 처음으로 사망선고를 했다. "2시 23분, 저희가 최선의 노력을 했음에도, 돌아가셨습니다." 내 말이 떨어지기 전까지 그는 아직 산 사람이었으나 내가 입을 열어 죽음을 말하는 순간 죽은 사람

11

이 되었다. 집에서 급박하게 달려온 보호자들은 그 찰나에 찾아온 죽음 때문에 극한의 슬픔을 느끼며 모두가 한꺼번에 오열하기 시작했다.

이제 시신이 되어버린 한 명의 인간, 그리고 그를 둘러싸고 터져나오는 급작스러운 오열과 몰아닥치는 슬픈 공기. 지극한 슬픔으로 괴로워하는 사람들 사이에서 혼자만 감정 없이 버티기는 어려웠다. 나는 사망선고를 내뱉고 숨을 들이쉬자마자 폐가 슬픔으로 가득 차는 것을 느꼈다. 나도 모르게 그를 둘러싼 과거와 현재의 순간이 머릿속에 엉키며 눈시울이 뜨겁게 달아올라 도저히 말을 이을 수가 없었다. 그때부터 어쩔 수 없이 애써 무뎌지려고 노력했지만, 나는 당장 슬픔을 참을 수 없는 한 인간에 불과했다. 그날 나는 부자연스럽게 방으로 뛰어가 한참 동안 나올 수 없었다.

그리고 시간이 흘러 나는 냉철하게 확률을 계산하고, 슬픔도 제법 잘 참는 평범한 의사가 되었다. 하지만 나는 아직 그 순간을 매번 본능적으로 두려워한다. 과학의 순간이지만 유일하게 과학의 손에 맡길 수만은 없는 그 순간, 한 사람이 다른 사람의 불분명한 분절에 선을 그어 그를 망자로 만들고 무조건 슬픔을 들이켜야 하는 순간, 나는 앞으로도 그 순간의 명명을 언제나 고민하고 고뇌하게 될 것이다.

지독한
하루

　힘겨운 날의 예감이 있다. 똑같이 뜬눈으로 밤을 지새고 간신히 자리에서 일어나 무기력하게 지하철에 몸을 싣고 출근할지라도, 유독 더 힘겹고 불행이 닥칠 것 같은 예감이 드는 날이 있다. 그런 날은 몸이 계속 무겁고, 피부는 불길한 느낌으로 예민하며, 말은 입이 아닌 머릿속에서 맴도는 느낌이 든다. 그리고 몰아닥칠 불행을 도저히 받아낼 수 없을 것 같다는 생각에 휩싸이고 만다.

　그런 날 아침이었다. 근무를 시작하자마자 간암 말기 환자가 들이닥쳤다. 병원에서는 더이상 치료할 방법이 없는 환자였다. 배가 불편하면 복수를 뽑고, 의식이 흐려지면 관장을 하고, 아프면 진통제를 투여하는 정도의 처치만 기계적으로 할 수 있는 상황이었다. 병원에서도 할 처치가 없을진대, 응급실에선 말할 것도 없었다. 그래서 응급의학과 의사인 나는 간암 말기 환자를 보면 임시적인 처치만 떠올린다. 차트를 확인한 뒤 가까이 다가가 전형적인 말기 환자의 모습을 확인했다. 얼굴이 물감을 칠한 듯 노란데다 마르고 힘없는 표정이었으며, 복수가 찬 배는 한껏 튀어나와 있었다. 복부 한복판에서 배꼽은 볼록하게 튀어나와 물주머니를 만들고 있었다. 마치 틀에서 나온 것처럼 전형적인 간암 말기 환자의 모습이었다.

그는 이미 오랜 투병생활을 하며 죽을 날을 기다리다 온 것 같았다. 다만 윗배가 엄청나게 아프다고 했다. 그는 나에게 간이 위치한 윗배 근처를 가리켰다. "갑자기, 너무 아픕니다." 배를 누르자 그는 욱신거리는 통증을 호소했다. 당연히 암성 통증일 것이었다. 진통제를 주고 늘 다니던 소화기내과를 호출해서 입원이나 퇴원을 결정하면 되었다.

"네, 아프시니 진통제를 드리겠습니다."

나는 컴퓨터로 기본 오더를 입력하고 진통제를 추가한 뒤, 내과 호출을 결정했다. 그는 조만간 죽을 것이 분명했고, 그 과정에서 엄청난 고통을 호소하고 있었지만, 미안하게도 내겐 손이 많이 가지 않는 환자였다. 그래서 곧바로 다른 환자에게 눈길을 돌렸다.

돌아서자 의식이 떨어진 할아버지가 도착했다. 숨을 턱끝까지 몰아쉬는 할아버지의 누런 러닝셔츠가 식은땀으로 흠뻑 젖어 있었다. "언제부터 의식이 없습니까?" 같이 온 보호자가 대답했다. "어젯밤부터 숨차다고 하시긴 했는데, 오전에 더 심해지다가 의식까지 흐려지시기에 모시고 왔어요." 나는 급히 그의 이마에 손을 대보았다. 심부에서 나오는 깊은 열감이 느껴졌다. 나는 목에 걸고 있던 청진기를 집어들고, 폐 구석구석에 대보았다. 오른쪽 호흡음이 유난히 뻑뻑하고 거칠어 기능 자체가 사라진 것 같았다. 그에게 산소마스크를 씌운 뒤 곧 끔찍한 동맥혈 분석 결과를 받아들었다. 그것은 몇 개의 숫자에 불과했지만, 그 해석에 익숙한 사람은 그 고통스러운 과정을 충분히 상상할 수 있었다. 심각하게 누적된 저산소증으로 인해 숨을 있는 힘껏 쥐어짜도 목과 온몸을 죄어오는 느낌이 들다가, 연이어 뇌로 가는 산소가 부족해져 의식이 가물거리는 비인간적인 과정이었다. 나는 종이에서 눈을 떼고 환자를 바라보았다. 그는 온 흉부와 복부의 근육이 요동쳐 너무 괴로워하는 모습이었다.

급하게 찍은 엑스레이에서는 오른쪽 폐가 거의 사라져 있었다. 어젯밤부터 시작되었다는 것으로 미루어보아, 급속도로 진행해서 급성호흡부전까지 유발하는 악독한 폐렴이었다. 노인들에게 이 정도 폐렴이 찾아오면, 그 자리에서 죽을 확률이 높다. 아마 한 시간만 늦었어도 집에서 그대로 사망했을 것이다. 그래서 차라리 발버둥칠 정도로 괴롭더라도 이 병원 침대 위에 있는 것이 천만다행이라고 할 수 있었다.

의식이 돌아오지 않아 나는 급히 삽관을 결정했다. 본인의 힘으로는 산소 교환이 충분히 이뤄지지 않으므로 기계로 압력을 가해서 고농도의 산소를 투여하며 폐렴을 치료해나가는 방법이었다. 의식이 없었기에, 따로 의식을 가라앉히는 마취제는 쓰지 않았다. 원인균 파악을 위해 배양 검사를 마치고 그의 혈관으로 고농도 항생제를 투여했다. 이제 그는 안정적인 병원 처치하에 있으니, 그의 생사 여부는 그가 지닌 폐렴균이 얼마나 악독한 종류인지, 혹은 그에게 살아날 의지가 얼마나 있는지에 달려 있었다. 나는 보호자를 불러 간단히 말했다.

"악성폐렴입니다. 죽을 뻔했습니다. 하지만 일단 한고비는 넘겼습니다. 아버님이 이 위기에서 돌아오실지는 아버님만 알고 계십니다. 지켜보도록 합시다."

설명을 서둘러야 했다. 벌써 나를 기다리는 사람이 열 명을 넘어가고 있었다.

나는 급히 진료실로 들어와 한 젊은 여성의 목에 걸린 가시를 뽑았다. 그때 인턴이 심전도 사진 한 장을 들고 왔다. 지금 당장 심장이 썩어가고 있는 사람의 심전도였다. 본능적으로 커다란 위험이 느껴져 머릿속이 순간 덜컥 주저앉는 것 같았다.

"이거 뭐야, 어떤 환자 거야?"

"방금 전 그 간암 환자 건데요. 이거 찍는데도 엄청 아파하셨어요."

나는 가시를 뽑던 집게를 던지고 달렸다. 환자는 이제 노랗던 얼굴이 창백하게 떠 있고, 의식이 가물거렸다. 나는 그의 어깨를 흔들며 외쳤다.

"괜찮으세요? 아프세요?"

그는 대답하지 않았다. 나는 이미 심전도 사진을 보았으므로, 이것은 의미 없는 문답이었다. 급성심근경색이 오면 가끔 명치가 아프기도 한다. 간암 말기라고 심장이 없지는 않다. 급성심근경색과 간암 말기 증상이 같이 오지 말란 법도 없다. 나는 스테이션으로 달려가 심장내과 주치의에게 전화를 걸었다.

"지금 급성심근경색 환자가 있습니다. 당장 조영술 들어가야 할 것 같습니다."

수화기 너머 주치의는 잠깐 화면을 확인하는 기색이더니 대답했다.

"급성심근경색은 5분 내에 전화 주시기로 하지 않았나요? 이 사람 온 지 한 시간이나 됐습니다."

"죄송합니다. 간암 말기여서 암성 통증과 혼동했습니다."

"아니, 명치가 아프다고 했으면 그건 심근경색의 주요 증상인데, 심전도부터 확인하는 것이 정상 아닌가요?"

"…… 죄송합니다."

심장만 보는 주치의의 말은 틀리지 않았다. 그러나 몇백 명의 환자가 계속 몰려와 각종 증상을 늘어놓는 응급실에서는 필연적인 우연처럼 이런 일이 발생하기도 한다. 나는 영민하게 그의 심전도를 체크할 겨를이 분명 있었음에도 그가 암성 통증을 호소하는 줄만 알고 생략해버렸다. 그런 일은 매우 낮은 확률로 발생하지만, 내 임무는 그 낮은 확률을 건져내는 것이다. 나는 죄책감에 아찔한 기분이 들었다. 심장내과 주치의와 담당 교수가 바삐 내려왔다. 담당 교수는 심전도 사진을 전해받고 혀를 끌끌 찼다. 책망하는 시선이 느껴졌다.

환자는 즉시 심도자실로 옮겨졌다.

"갑자기, 너무 아픕니다."

그가 마지막으로 남긴 말이었다. 몸 상태도 좋지 않은 그가, 급성심근경색까지 견뎌낼 수 있을까. 그리고 그가 조만간 간암으로 죽는 것과 급성심근경색으로 죽는 것은 죽음의 종류에 있어서 차이가 있을까. 하지만 다르다. 분명하고도 엄연하게 그것은 다르다. 나는 모든 의학으로 밝혀낼 수 있는 죽음으로부터 사위어가는 생명을 끝까지 살려야 할 의무가 있다. 그에게 심장에서부터 느껴지는 날카롭고 찢어지는 듯한 통증을 조금이라도 더 느끼게 한 것, 또 그를 방치해서 사망 확률을 더 높인 것은 분명히 내 책임이다. 그가 간암으로 죽으면 나는 비난받거나 문책받지 않지만, 심근경색으로 죽는다면 비난받아 마땅하다. 이것은 필사적으로 피하고 싶은 괴로운 일이다. 순간 나는 모든 환자들이 나를 괴롭게 만들기 위해 가면을 뒤집어쓰고 있다는 생각이 들었다. 그러나 그 괴로움을 감내하는 일이 내가 평생 해야 할 일이었다.

이미 타과로 넘어간 일은 돌이킬 수 없었다. 나는 정신을 다잡고 남은 환자들을 하나하나 확인했다. 어느 정도 정리될 무렵 카트가 하나 들어왔다. 의식저하로 발견된 90세 할머니였다. 90세라는 나이는 그 사람을 살려야 하는 의사를 경계하고 두려워하게 만든다. 나는 급히 할머니를 진료하러 나섰다. 할머니는 나이만큼이나 지긋한 몰골이었다. 온몸이 뼈만 남은 채 가죽이 늘어져 있었다. 묻는 말에도 횡설수설하고, 손과 발을 심하게 부들부들 떨었다. 심지어 같이 온 아들이나 손자도 전혀 알아보지 못했다.

"원래 이러셨나요? 언제부터 이러시는 건가요?"

"원래부터 누워만 계셨고, 의식은 오락가락했습니다. 그래도 정신이 있으실 때면 다 알아보고 대답도 하셨는데, 갑자기 이렇게 안 좋아지셨어요."

다른 방법이 없었다. 일단 의학적으로 의식이 흐려질 수 있는 이유를 전부 찾아봐야 했다.

"술이나 수면제 드신 건 아니죠?"

"전혀 그런 일 없습니다."

"네, 그러면 일단 의식이 저하될 수 있는 모든 경우에 대한 검사를 하도록 하겠습니다. 뇌출혈이나 뇌경색 같은 머리 쪽 문제부터, 다른 전신적인 원인일 수도 있어요. 내과적인 체크와 동시에 CT, MRI 등을 시행하겠습니다."

"네, 잘 부탁드립니다."

열은 없었다. 혈압도 맥박도 정상이었다. 혈당과 산소포화도도 정상이었다. 섭취한 약물도 없었다. 나는 나머지 환자를 정리하며 결과를 기다렸다. 곧 CT와 MRI 결과를 받아들었다. 나이 탓에 뇌가 쪼그라들어 있었지만, 우려했던 결과는 전혀 나오지 않았다. 나는 혹시 뇌염이나 뇌수막염을 놓칠까 싶어 부들거리는 할머니의 손발을 부둥켜안아 고정하고 척추 사이에 바늘을 꽂아 뇌수 천자穿刺를 시행했다. 그러나 곧 그 결과도 정상임을 확인할 수 있었다.

이제 의학적으로 확인해줄 수 있는 이상은 없었다. 검사 결과는 모두 정상이었다. 그러나 할머니는 아직도 손발을 격하게 떨며 횡설수설하고 있었다. 한없이 괴로운 표정을 짓고 있어, 정상적인 얼굴이 전혀 연상되지 않았다. 과연 이 상태를 정상이라고 할 수 있을까? 나는 이 상태를 정상이라고 설명해야 할까? 하지만 이것은 처음부터 확실히 설명되는 것보다 설명되지 않는 편이 옳았다. 응급실에 오는 노인들의 의식은 또렷한 경우보다 혼미한 경우가 더 많다. 아직은 젊고 건강한 내가, 90세 할머니의 의식이 특별한 이유 없이 정상과 비정상을 오가는 것을 이해할 수 없음은 당연했다. 그것을 내가 어찌 알겠는가.

나는 보호자를 불러 할머니에게는 치명적인 질환이 발견되지 않았으니, 당장 위급한 상황은 없을 거라고 알렸다. 검사 결과가 정상이어도 워낙 고령이니 섬망이나 치매로 의식이 오락가락할 수 있다고 말한 뒤 생명에는 지장이 없으니 조금 마음 편히 지켜보라고 말했다. 그러고 나서 돌아섰다. 나는 환자가 당장 죽지 않을 일에, 더이상 책무나 책임이 없었다. 그러니 앞으로 이 할머니가 어찌 될지는 신경쓰지 않아도 되었다.

의식이 떨어진 할머니는 이제 응급실 구석에서 조용히 요동치고 있었다. 밤시간까지도 아침에 저질렀던 실수가 피할 수 없이 계속 떠올랐다. 다행히 간암 환자는 중환자실에서 회복세를 보였다. 그래도 이 일로 문책을 피할 수는 없었다. 잠시 후 또다른 할머니가 들어왔다. 오자마자 기운이 하나도 없다고 말했다. 목소리가 너무 작고 불분명해 간신히 알아들을 정도였다. 그녀의 입에 귀를 대기 위해 고개를 돌린 순간 반사적으로 그래프를 보았다. 심장이 마지못해 간신히 뛰고 있는 것처럼 느렸다. 그 간들거리는 노력이 금방이라도 사라져 숨을 거둘 것 같았다. 급히 병력을 확인해보니 예전부터 온갖 종류의 심장병을 가지고 있었다.

서맥심장박동 횟수가 정상 이하인 경우에 쓰는 아트로핀을 급하게 한계치까지 투여한 뒤 보호자인 아들과 이야기했다.

"심장이 워낙 안 좋으셨지요?"

"네, 10년 전부터 이미 손쓸 도리가 없다고 들었어요."

"언제든 돌아가실 수 있다는 말도 들으셨지요?"

"네, 병원에 올 때마다 매번 들었어요."

"네, 잘 알고 계시군요."

약을 투여하자 서맥은 조금 회복됐다. 하지만 그녀의 차트에는 이제 어떤 시술이나 수술로도 심장을 영구히 회복시킬 수 없다고 쓰여 있었다. 급사할 확률이 하루하루 지날수록 커지는, 하지만 그런 상태로 지내온 지 10년이나 지나 이제 그 확률이 얼마나 큰지 짐작조차 할 수 없는 환자였다. 심장이 이대로 멎더라도, 그것은 사고가 아니라 지병이 누적된 것으로 기록될 것이었다. 나는 보호자에게 말했다.

"이 처치 그대로 유지하고 지켜보겠습니다. 알고 계시겠지만 할머님의 심장은 시한폭탄 같은 상태입니다. 언제 멈추어도 이상하지 않습니다."

그러고 나서 나는 밤시간에 몰려든 환자를 보기 위해 중환자실에서 돌아섰다. 하지만 시한폭탄이라는 말은 테러나 전쟁에서 쓸 말이지 사람에게 쓸 말은 아니었다. 과연 몸 안에 시한폭탄이 들어 있다고 선언하는 말을 10년 동안 들었다면, 기분이 어떨까. 하지만 그것은 적확한 표현이고, 병원에서 늘상 쓰는 단어였다. 대체할 수 있는 말이 없었다. 이 표현은 내 탓이 아니었다.

밤시간 응급실 침대에는 장염 환자와 위염 환자, 뇌졸중 환자가 잔뜩 누워 있었다. 서맥 할머니는 한동안 잠잠했다. 나는 그들 사이에서 뛰어다니느라 한동안 겨를이 없었고, 그 와중에 심장병을 심하게 앓는 할머니가 또 왔다. 하지만 의식이 없거나 기운이 없거나 심장이 아프지 않았다. 대신 밤눈이 어둡고 몸이 둔한 탓에 후진하는 스타렉스 승용차에 정면으로 깔리는 사고를 당했다. 그 묵직한 뒷바퀴는 할머니의 골반과 복부를 뭉개고서야 멈추었다.

할머니는 자극에 대한 반응도 하고 대답도 가능했다. 하지만 아프다는 의사 표현조차 제대로 하지 못할 만큼 미약했다. 생체 징후는 간신히 유지되고 있었으나, 지병인 심장병과 심각한 외상 탓에 언제 사그라들지 모르는 상태였다. 나는 이미 의료진에 의해 옷이 전부 잘려 나신이 된 할머니의 외상 부위를 관찰했다. 급정거했을 때 도로에나 남을 법한 타이어 자국이 왼쪽 골반부터 배꼽 근처까지 나 있었다. 이런 사고를 당하면 언제나 자국들은 몸 위에 지나치게 고스란히 남는다. 나는 그 자국이 지나간 부위를 파악하기 위해 손으로 직접 눌러보았다. 당연히 골반뼈는 으스러지고, 안쪽 장기도 으깨져 터져 나갔는지 배가 불러오고 있었다.

최대한 공격적인 처치가 필요했다. 언제 의식이 떨어지고, 연이어 호흡과 심장이 멈출지 알 수 없었다. 나는 맨정신인 할머니의 기도를 확보한 뒤, 중심정맥관을 두 개나 뚫었다. 응급으로 혈액을 검사해 수혈을 준비하고, 심장에 무리가 가지 않는 한도에서 세팅된 수액을 달자마자 그녀를 CT실로 옮겼다. CT 결과에선 왼쪽 골반이 으스러지고, 소장과 대장과 신장 일부가 눌려 터져 있었다. 짐작한 것과 큰 차이가 없었다. 연속된 흑백사진이었지만, 내 눈에는 한 사람의 육체 위로 타이어가 지나간 과정이 명백히 보였다.

외과, 정형외과, 비뇨기과는 각각 응급수술이 필요하지 않다는 결론을 내렸다. 수술을 직접 하지 않는 내 소견도 비슷했다. 이 고령의 심장병 환자의 출혈을 멈추겠다고 배를 열면 일시적으로 출혈이 늘어나고 순환부전이 악화되어 급사할 가능성이 있었다. 결국 중환자실에 자리가 날 때까지, 그녀는 처음 누운 그 자리에서 목숨을 견뎌야 했다. 의식이 떨어진다면, 그건 곧 죽어간다는 신호였다. 나는 그 이유로 주저하다가 결국 진정제를 쓰지 않기로 했다. 그래서 의식이 남아 있는 할머니는 목구멍에 굵디굵은 관을 꽂은 채, 오로지 살기 위해, 바퀴가 할퀴고 간 묵직하고 날카로운 통증을 견뎌야 했다. 불편한 느낌과 극심한 고통과 죽음이 주는 예감으로 그녀의 얼굴은 거의 형체를 구별하기 어렵게 구겨져 있었다. 의료진은 지속적으로 자극을 주어 반응을 관찰해야 했다. 가슴을 눌러 눈을 뜨는 것 정도만 확인하는 그 행위에는, 결국 이 사람은 아직 살아 있다고 믿게 만들려는 목적이 있을 뿐 그것 외에는 의미가 없는 것 같았다. 이런 행위로 도대체 누가 위로받는 것일까. 매번 그녀를 깨우는 그 손길이 할머니를 위로한다고 말할 수 있나.

응급실은 밤에 몰려든 환자들과 아직 지켜봐야 하는 중환자들로 전쟁터를 방불케 했다. 그 틈새로 한 할아버지가 왔다. 주증상은 호흡부전이었다. 하지만 나에겐 그 환자의 피부가 유난히 눈에 띄었다. 마치 전신이 화상을 심하게 입어 벗겨진 것 같았지만, 피부는 벌겋지 않고 딱딱했으며, 고목처럼 거무죽죽했다. 그렇게 된 지 오래된 것 같았다. 껍질이 한번에 벗겨지지 않고 피부에서 각각 일어나 그 잔해로 전신과 침대가 온통 부스러기투성이였다. 한마디로 인간의 피부에서 끊임없이 가쓰오부시가 생성되는 것 같았다. 아무리 보아도 이 표현보다 더 적확한 말은 없었다.

"피부가 왜 이럽니까?"

"아버지는 베트남 참전용사예요. 고엽제 부작용이라고 들었어요. 평생 이랬습니다."

뜨악해 보였지만, 그가 온 이유와 이 피부는 아무런 관계가 없었다. 나는 되물었다.

"무슨 일로 응급실에 오시게 된 겁니까?"

"어제부터 설사를 하시면서 기운이 점점 떨어졌어요. 오늘은 호흡까지 약해지셔서 왔습니다."

할아버지의 이마에 손을 대자 싸늘한 냉기가 느껴졌다. 수분이 완전히 날아간 것처럼 혀가 빠짝 말라 있고, 피부는 온몸이 건조해서 곧 부서질 것 같았다. 흉부는 호흡이 가빠 요동치고 있었다. 하얀 각질이 날리는 전신이 생기를 잃고 탈수되는 것을 보며 나는 생각했다. '위장관성 패혈증인가? 중환이군.'

"설사가 지속되어 몸 상태가 안 좋아지신 것 같습니다. 치료와 검사를 동시에 하고 나서 설명드리겠습니다."

나는 급히 전반적인 생체 징후를 확보하려고 했다. 체온과 혈압이 현격하게 떨어져 있었다. 이것만으로도 패혈증 범주에 들어갔고 사망 확률이 높았다. 일단 중심정맥관을 확보했다. 몸의 체액 상태를 확인하기 위해 중심정맥압을 체크해보니 10 내외가 정상인데 0에 가까웠다. 급속도로 수액을 투여했다. 할아버지는 가물거리는 의식으로 여전히 숨을 몰아쉬었다. 일단 처치를 유지하도록 하고 다른 환자를 보고 있는데, 할아버지의 피검사 결과가 나왔다. 심하게 올라간 신장 수치가 눈에 띄었다. 실제 소변량도 전혀 없었다. 이제 진단명은 '위장관성패혈증으로 인한 다발성장기부전'으로 바뀌었다. 나는 보호자를 불러서 말했다.

"처음에는 장염으로 인한 설사로 시작되었을 겁니다. 이런 노인분들은 당장 탈수가 시작되죠. 회복되지 않고 이 상태가 지속되면 장기가 하나하나 망가지기 시작합니다. 워낙 몸 상태가 좋지 않았던 분은 반응이 훨씬 심하게 나타납니다. 가장 민감하게 반응하는 것이 신장인데, 아버님의 신장은 이미 기능 자체가 거의 남아 있지 않습니다. 이대로 더 진행되면 100퍼센트 돌아가신다고 봐야 합니다. 그래서 응급투석을 돌려야 합니다. 그래도 소변이 한 방울도 안 나올 정도로 상태가 정말 좋지 않아 투석을 돌려도 살아나실 확률이…… 음…… 약 20퍼센트밖에 안 될 것 같습니다."

"아니, 설사잖아요. 고작 설사로 하루 만에, 단 하루 만에 돌아가신다고요?"

"네, 고령 환자의 경우엔 생각보다 드문 일이 아닙니다."

그건 실제로 있을 수 있는 일이었다. 게다가 지금 일어나고 있었다. 그러니 보호자는 항의할 수도, 어쩔 도리도 없었다. 그는 더이상 할 말이 없는지 입을 다물었지만, 전혀 납득하지 못한 표정이었다. 나는 응급투석을 준비하러 진료실 밖으로 나섰다. 그리고 그 찰나, '일어날 수 있는 일'이란 것은 과연 납득 가능하거나 위안이 될 수 있는 말인지 생각해보았다. 이 공간에서 필경 사용할 수밖에 없는 그 말, 그것을 과연 나는 보호자에게 위안이 되라고 지껄인 것일까. 전쟁을 겪고 평생 피부병으로 뜨악한 시선을 견디며 보냈을 사람이, 이제 며칠 뒤 다른 병으로 갑자기 죽을 운명이라는 선고를 하면서, 응당 있을 수 있는 일이라고 설명해준다면, 그것은 누구를 위안하려는 것일까. 하지만 다시 생각해도 이는 사실을 그대로 기술하는 일일 뿐, 다른 설명 방식은 존재하지 않았다. 나는 매번 그렇게 '있을 수 있는 일'이라고 지껄일 수밖에 없었다.

나는 환자에게 돌아가 응급투석관을 넣고 신장내과를 호출했다. 곧 중형 냉장고만한 투석기가 사정없이 돌아갔다. 환자의 마르고 부서져가는 몸은 기계의 부산함에도 아랑곳없이 의식을 잃고 곧게 누워 있었다. 나는 이제 다른 환자들의 병력을 정리했다. 그때 별안간 난동을 부리는 아주머니 한 분이 등장했다. 차림새로 보아 일상생활을 하다가 온 것 같았지만, 눈을 까뒤집고 손발을 여기저기 비틀며 사방을 후려쳤다. 구급대원이 말했다. "건강하신 분인데, 집에 계시다가 갑자기 쓰러져 이렇게 난동을 피운답니다." 혈압이 높고 왼쪽 동공이 비정상적으로 반응했다. 뇌출혈 같았다.

그녀를 중환자 구역에 눕히고 손발을 제압했다. 그녀는 통증을 가하자 격하게 반응을 보이고, 가만히 있을 때는 욕설이나 이해하지 못할 말을 내뱉으며, 주먹을 쥐었다가 온 힘을 다해 쫙 펴는 동작을 비정상적으로 반복했다. 곧 수액을 공급하고 급하게 CT실로 옮겼다. 예상은 정확했다. 구불구불한 뇌를 찍은 흑백사진 안에서 뇌출혈이 하얗고 커다랗게 자리를 차지하고 있었고, 출혈이 뇌와 뇌수를 반대쪽 두개골로 힘껏 밀어붙이고 있었다. 사람은 바깥 몸을 누르면 일반적으로 아무렇지 않지만, 뇌를 누르면 이처럼, 도저히 정상이라고 부를 수 없는 상태가 된다. 그리고 눌린 뇌는 얼마 지나지 않아 썩기 시작한다. 그리고 각종 신경학적 합병증이 따라오며 호흡마저 떨어지면 대부분 사망한다. 나는 아직 어려 무슨 일인지 전혀 판단이 서지 않아 보이는 두 아들을 불러 급히 외쳤다.

"뇌출혈입니다. 여기 보이시지요? 이게 머리 안에서 뇌를 누르고 있는 겁니다. 당장 두피를 열고 두개골을 떼어내 압력을 줄이는 수술을 해야 합니다. 수술방에서 여기 이만큼 두개골을 걷고 그대로 두피를 덮은 다음, 회복되면 다시 두개골을 제자리에 붙일 겁니다. 필연적으로 머리 모양이 비대칭이 될 겁니다. 그런데 문제는 뇌라는 것이 한번 이렇게 압력을 받으면 기능을 잃고 회복되지 않을 가능성이 크다는 것입니다. 이 정도 양의 뇌출혈이라면, 언제 돌아가셔도 이상하지 않습니다. 수술하지 않으면 거의 무조건 돌아가시고, 수술해도 당연히 돌아가실 수 있습니다. 중환자실에 얼마나 계실지, 얼마나 회복될지도 모릅니다. 당장 진행하겠습니다."

고등학생 정도 되는 두 아들은 뇌출혈이라는 말도 제대로 알아듣지 못한 것 같았다. 하지만 나는 그들이 현실을 깨닫길 바라는 마음에 다시 한번 말해주었다. 그러나 내 말은 지나치게 정돈된 기계적인 말투였다. 나에겐 하루에 최소한 한 명 이상 있는 흔한 케이스였기 때문이다. 더이상 덧붙일 말이 없었다. 그녀는 중환자실에서 움푹 꺼진 머리통과 말라가는 눈동자로 회복되길 기다리며 눕게 될 것이다. 회복되지 않으면 죽을 때까지 여생을 그렇게 보내야 했다. 그리고 어린 고등학생들이 이제 현실을 깨닫고 그녀를 책임져야만 했다.

상황이 조금 정리되고 밤이 깊어지자 응급실은 취객과 투닥거리다 다친 사람들로 북새통을 이루었다. 이윽고 평범하지만, 조금 시끄러운 취객이 한 명 들어왔다. 아저씨는 술에 너무 취해 이성을 잃은 상태였다. 얘기를 종합하자면 구토를 하다가 피가 약간 섞여나왔다는 내용이었다.

"토, 피가 나왔다니까. 처음이야 그런 적, 많지는 않아, 아아 씨발, 속 쓰려. 배 아파."

술 마신 사람들이 너무나 흔하게 하는 이야기였다. 그런 사람이 하룻밤에도 열 명 넘게 왔다. 복부를 촉진해도 아무런 이상이 없었고, 다른 검사에서도 별 이상 없었다. 다만 알코올 수치가 심각하게 높았다. '대취했군.' 나는 그에게 가서 말했다. "아마 구토하다가 식도하방이 조금 찢어진 것 같습니다. 술만 끊으면 금방 낫는 병입니다. 진통제를 드릴 테니까 좀 참고 계시다가 아침에 내시경으로 열상을 확인해봅시다."

"아프다니까! 아파!"

그는 대답 대신 응급실이 떠나가도록 소리를 질렀다. 나는 혹시나 해서 복부 CT를 찍자고 권유했다. 그가 CT실로 가자 시끄럽던 응급실이 잠시 조용해졌으나, 그가 돌아오자 다시 시끄러워졌다. 괴성을 들으며 나는 CT 사진을 확인했다. 복부 장기는 별 이상 없었다.

"아니, 아프다니까! 아파!"

더이상 듣고 있을 수가 없어서, 나는 환자를 재워버렸다. 마취제는 술보다 100배쯤 강력하게 잘 들었다. 환자는 곧 정신을 잃고 잠들었고, 응급실은 금세 평화를 되찾았다. 나는 조금 뿌듯했다. '세상엔 주사가 심한 사람이 너무 많아. 그런 사람들만 찾아오기 때문인지 몰라도.'

이제 새벽 시간만 견디면 되었다. 오늘은 유난히 바쁜 하루였지만, 그럭저럭 새벽만 조용하면 버틸 수 있을 것 같았다. 그런데 만삭의 여인처럼 배가 빵빵하게 부른 중년의 남자가 들이닥쳤다. 차트에는 어떠한 조치도 불가능한 간경화 말기라고 적혀 있었다.

"어디가 불편해서 왔습니까?"

"복수 좀 빼주세요. 움직이질 못하겠어요. 차트를 보면 다 알 겁니다."

나는 다시 차트를 보았다. 원래 복수를 빼면 알부민 수치를 확인해 보충해주어야 하고, 혈압이 떨어질 수 있어 한동안 지켜봐야 하지만, 환자는 매번 그 일을 강력히 거부하곤 복수만 뺀 뒤 퇴원한 것으로 나타나 있었다. 아마 매번 별문제 없었다는 관성과, 병원의 권유를 듣지 않았어도 아직 살아 있다는 자신감 때문일 터였다. 나는 일단 검사를 해보자고 한 뒤 평소보다 알부민 수치가 떨어진 것은 물론 신장 수치가 두 배나 올라가 있음을 확인했다.

"간경화 말기에, 간신증후군까지 동반했습니다. 입원 치료를 하셔야 합니다."

"아니요, 복수만 빼고 그냥 집에 갈게요."

"아니, 안 됩니다."

"의사 양반, 오늘 나는 당신을 처음 봐요. 그러니 당신은 나를 몰라요. 나는 이 병으로 4년간 투병했고, 이미 전 재산을 다 써버려 남은 게 하나도 없어요. 이젠 치료할 의지도 없고, 돈도 없고, 인생을 포기한 지 오래요. 하지만 배가 이렇게 부르면 움직일 수가 없어서 병원에 오는 거요. 움직일 수가 없으니 못살겠소. 이것만 빼주면 지금까지처럼 내 맘대로 살 거요."

간신증후군은 간경화 말기 환자가 죽음에 가까워질 때 찾아온다. 원인은 아직 밝혀지지 않았으나, 어떠한 치료도 듣지 않는다. 기대 여명은 한 달 정도 된다. 입원 치료를 하면 한 달쯤 있다가 죽고, 집에 있으면 그전에 고칼륨혈증으로 인한 심장마비로 죽는다.

"입원하지 않으면 급사하실 겁니다."

"잘됐네. 죽은 얼굴로 다시 만나면 좋겠어요. 쥐도 새도 모르게 죽으면 그보다 더 행복한 일도 없겠네요."

나는 그것이 불행한 일이라고, 당신은 절대로 옳지 않은 소리를 하고 있다고 대답할 수 없었다. 그의 부푼 배는 구의 형태로 한껏 부풀어 실제로 움직일 수 없어 보였다. 나는 일단 주사기를 들고 와서 그의 배에 꽂았다. 뜨겁고 노란 복수가 대야에 고이기 시작했다. 새벽 감기 환자와 열상 환자 몇 명을 치료하고 돌아오자 복수가 많이 빠져나가 있었다. 그는 병색이 완연해서 내일이라도 죽을 것 같았지만, 복수가 빠지자 몸동작이 한결 가벼워 보였다.

"자의퇴원서를 써야 합니다."

"그거 얼른 주쇼. 백 번이라도 쓰겠소."

그는 경쾌하게 사인하고는 느리지만 가뿐한 발걸음으로 응급실 자동문을 향해 나아갔다. 머지않아 내가 혹은 다른 누군가가 그의 사망진단서를 쓰게 될 것이었다.

간신히 새벽을 넘기고 나자 해가 어렴풋이 떠올랐다. 남은 환자를 정리할 시간이었다. 여느 때처럼 고통스러운 피로가 온몸에 퍼져 있었다. 나는 정신을 다잡고 차트를 정리한 뒤 브리핑 준비를 위해 전날 온 환자들을 정렬해 암기하기 시작했다.

"간암, 심근경색이었습니다. 의식 저하, 원인 불명입니다. 폐렴성패혈증, 위장관성패혈증 및 다발성장기부전, 전부 약간 호전되어 중환자실에 있습니다. 말기 심부전서맥, 관찰중입니다. 비외상성뇌출혈, 수술했습니다. 스타렉스 교통사고 환자, 수액과 혈액 공급하고 안정화 추세입니다. 술 먹고 구토, 식도열상 의심 환자 내시경 예정입니다."

기록을 무심코 확인하다가 내시경 예정인 취객의 생체 징후가 이상함을 발견했다. 그에게 급히 달려가 보았다. 열이 나고 혈압이 떨어지고 있었다. 불길한 징후였다. '그럴 리 없는데. 놓친 것이 없는데, 놓친 것이……' 나는 혹시나 해서 그의 CT를 다시 확인해보았다. 복부의 장기는 여전히 온전했다. 그렇다면 혹시…… 나는 CT의 세팅을 바꾸어 복부 CT 위쪽의 흉부를 관찰했다. 아주 조금밖에 나오지 않는 식도 하방 부위가 조금 이상해 보였다. 겁이 덜컥 났다. CT를 자세히 확대하자, 식도가 파열되어 음식물로 보이는 액체가 식도에서 흉강으로 흘러나와 염증을 만드는 것이 아주 작게 보였다.

"아…… 제길, 젠장, 부르하버증후군Boerhaave syndrome이다."

부르하버증후군은 심하게 구토하다가, 식도가 그 압력을 견디지 못해 터지는 병이다. 워낙 드물어, 대학병원 응급실에서도 1년에 두세 명 정도 볼 뿐이었다. 터진 식도 근처로 음식물이 쏟아져 흉강 안이 빠른 속도로 괴사하기 때문에 응급수술이 필요하다. 수술 부위가 워낙 깊기 때문에 갈비뼈 한두 개를 척추 옆에서 자르고 수술을 시작해야 한다. 한쪽 폐에만 인공호흡기를 넣는 방식으로 수술 부위 폐의 공기를 완전히 뺀 뒤, 심장을 겸자로 밀쳐내 시야를 확보하고 안으로 들어가 오염된 흉강을 씻고 꿰매는 방식으로 수술을 진행한다. 수술이 늦으면 금방 패혈증이나 쇼크가 동반되고, 사망 확률이 비약적으로 증가한다. 수술하지 않으면 거의 100퍼센트 사망한다. 수술 후 재활 과정도 끔찍하다.

근무중에 일어난 두번째 사고였다. 나는 급하게 흉부외과에 전화했다.

"부르하버입니다…… 지금 당장 수술 들어가셔야 할 것 같습니다."

흉부외과 당직은 컴퓨터를 뒤지며 대답했다.

"어젯밤에 온 부르하버를 이 새벽까지 재우셨네요? 휴…… 알겠습니다."

흉부외과는 그 이른 시각에도 이미 출근해 있었다. 그들은 당장 달려와 환자 상태와 이전 CT 결과를 확인했다. 동시에 촬영한 응급 엑스레이에서는 흉강의 염증이 훨씬 커져 명확하게 보였다. 그들은 바삐 움직이며, 예정된 첫 수술을 미루고 이 취객을 응급수술실로 당장 넣겠다고 했다. 난데없이 보호자와, 대수술로 인한 의료진이 몰려들어 시끄러웠다. 이번에도 미리 연락해주지 않아 책망하는 그들의 시선이 느껴져, 나는 멍하니 CT 결과만 바라볼 뿐이었다. '하필 복부 CT에서 발견된 흉부의 이상이라니. 그래, 이걸 주의하라고 배웠는데. 그 평범한 취객, 유난히 시끄러운 취객, 나는 대담하고 안정적인 의사의 연기를 하고 싶었던 거야. 하지만 실상은 시끄럽다고 환자의 말을 무시한 채 수면제를 놓아 재워버린 거지.' 그게 바로 방금 내가 저지른 일이다.

마지막 환자가 수술방으로 빨려들어갔다. 나는 암기한 내용을 기계적으로 브리핑했고, 늘 하던 대로 비난과 책망을 뒤집어썼다. 명백한 실수라 피할 수가 없었다. 하루에 찾아오는 200명 가까운 사람 중에서 어떤 사람이 가면을 쓰고 갑자기 내게 불행이나 죽음을 내보일지 감당할 수 없다는 생각이 들었다. 브리핑을 마치고 응급실로 나오자 어제 보았던 의식저하와 심장병과 스트레스에 깔린 할머니가 여전히 남아 있고, 새로운 환자들이 바쁘게 몰려들고 있었다. 이제 퇴근할 수 있었지만, 한동안 몸이 움직여지지 않았다. 나는 응급실 스테이션에 엎드려 울 기력조차 없었다.

어쨌든 하루를 끝내야 했다. 그래야 내일을 맞을 테니까. 나는 기운을 짜내 간신히 응급실 밖으로 나왔다. 오전의 바람은 매섭고 몸이 유난히 차가웠다. 수고했다고 위로해줄 사람도 없었다. 돌아갈 구멍조차 없는 느낌이었다. 굳이 떠올리지 않아도 지난 하루 동안 일어난 일이 머릿속에 순서대로 지나갔고, 사람들이 나에게 손가락질하는 것만 같았다. 그때 문득 간밤에는 아무도 죽지 않았음을 깨달았다. 되레 신기한 일이었다. 아무도 죽지 않았다. 하지만 나는 그들에게 곧 죽을 거라고 선언했고, 실제로 그렇게 될 것이다. 나는 내 목숨이 간신히 살아 있다는 데 생각이 미쳤다. 간신히, 하지만 온몸에 기운이 없어, 곧 죽을 운명인 것만 같았다. 아, 차라리 그 일이 미리 다가왔으면 좋겠다는 생각마저 들었다. 나는 어둠만 보고 있는 동전의 뒷면처럼, 영원히 사라져버리고 싶었다.

기내 난동 사건을
마주하며

2016년 12월, 가수 리처드 막스가 페이스북에 한 장의 사진을 올렸다. 하노이행 인천발 항공기에서 난동을 부린 한국인의 사진이었다. 이후 당시 영상이 SNS를 통해 널리 퍼졌다. 영상 속 남자는 충동적으로 무엇이든 부수어버릴 것처럼 종잡을 수 없이 행동했다. 상식적으로 도저히 이해할 수 없었다. 기내 승무원들은 그를 붙들고 매달리며 속수무책으로 그에게 당했다.

많은 사람들이 이 광경에 경악했다. 하지만 나는 이 모습이 너무 낯익었다. 지금까지 내가 응급실에서 마주했던 폭력적인 환자나 보호자, 주취자의 눈빛과 행동 그대로였다. 이들의 행동은 일정한 결을 지닌 듯 패턴이 정확히 일치했다. 그를 제압해야 했던 혹은 그러한 임무를 맡았던 사람들의 태도도 정확히 일치했다. 상대를 무차별 폭행하고 침을 뱉는 사람과 유니폼을 입은 채 공손하고 간절하게 무릎을 꿇던 사람들.

사람들의 공분을 산 그는 구속기소되었고, 검찰은 그에게 항공보안법상 항공기안전운행저해 폭행, 업무방해, 상해, 재물손괴, 폭행의 혐의를 적용했다. 그는 주변 사람뿐만 아니라 항공기에 있던 수많은 이들의 생명을 담보로 자신의 유희를 즐긴 셈이었다. 2017년 4월 13일 그는 징역 1년에 집행유예 2년, 벌금 500만 원을 선고받고, 200시간의 사회봉사를 명령받았다.

여기까지가 내가 습득한 일련의 과정이다. 그리고 나는 여기서 일말의 부러움을 느꼈다. 기내 난동에 대해서 단호히 처벌하자는 쪽으로 사람들의 목소리가 모였고, 여전히 솜방망이 처벌이라는 의견이 있기는 해도 어쨌든 실제로 그의 행위에 상응하는 처벌이 이루어졌기 때문이다. 하지만 수많은 이들의 생명을 담보로 하는 공간이라는 공통점을 지니고 있음에도 병원에서 벌어지는 폭언이나 폭력에 대한 인식이 바뀌었는지는 잘 모르겠다. 그 발생 빈도나 사안의 무게에 비해 여전히 사람들은 그 부분을 인지하지 못하고 있다.

토요일 새벽 두시는 응급실이 가장 혼잡스럽고, 각종 사건 사고로 붐비는 시간이다. 자동문의 낮은 문턱을 넘어 예기치 못했던 사람들이 덜컥 밀려들어오면, 응급실은 바깥세상의 활달함과 병원 특유의 차분함이 섞여 혼란스럽게 변모하기 시작한다. 곧 사람들의 목소리가 오가고, 특유의 번잡스러움이 번져, 응급실은 바깥세상의 혼돈이 고 스란히 묻어나는 공간이 된다. 그것은 어떤 요일이건 새벽 두시면 불을 끄고 안온한 잠에 빠지는, 그리고 그 어둡고 고요한 공기가 흡사 바깥세상으로부터 환자를 보호하고 있다는 느낌을 주는, 위층의 수많은 병실이나 중환자실과는 완전히 대비되는 풍경이다.

응급실이 활기를 띠고 붐비는 시간은 사회가 에너지를 분출하는 시간과 거의 비슷하다. 사람들이 직장에서 일하거나, 가정에서 정돈된 일상을 보내고 있을 땐 그만큼 사건이나 사고도 잘 발생하지 않는다. 사람들이 그 틀에서 나와 친구, 동료들과 술을 마시거나 자유롭게 행동하며 각자의 욕망이 서로 부딪칠 때 사건과 사고는 벌어진다. 그 숱한 사고 속에서 누군가가 아프거나 다친다면, 그 사고의 종착지는 근처에 있는 응급실이 되고, 곧 나는 그 사고의 생생한 단면을 수습해야 한다. 그렇게 나는 내가 근무하는 곳 일정 반경 안에 있던 유희의 씁쓸한 종말들과 마주한다. 다만 발생한 사고와 내 목격 사이에는 시간차가 발생한다.

그리하여 토요일 새벽 두시는, 금요일 밤에 거리로 쏟아져나온 사람들이 한창 술에 취해 비축해두었던 에너지를 내뿜고, 그로 인해 발생하는 이 사회의 드물고도 흔한 투덕거림을 한창 받아내야 하는, 나에겐 아주 괴로운 시간이다.

이미 계단에서 구른 중년 남성의 두부 CT 촬영을 지시하고, 시비가 붙어 서로의 얼굴을 사정없이 할퀴어버린 20대 여자 둘의 상처 부위를 확인한 뒤 방금 삼겹살에 소주를 마시다 도저히 치통을 견디지 못해서 온 남성의 취기 섞인 입내를 마주하고 나왔다. 그때 가볍

37

게 자동문이 열리고, 헐렁한 검은 옷을 입은 차림새와 불량스러운 분위기로 미루어보건대 흔히 '양아치', 혹은 '조폭'이라고 불릴 것 같은 사내들이 우르르 들어왔다.

등장부터 소란스러웠다. 1차, 2차로 주점에서 술을 마시고, 3차쯤 되는 장소로 이 병원을 선택한 듯했다. 사내들은 함부로 욕설을 지껄이고 의사를 찾으며, 보스로 보이는 한 사람을 호위하는 모양새로 들어왔다. 그 보스로 보이는 사내는 가운데에서 부축을 받으며 취한 듯 비틀거렸다. 나이는 많지 않은 듯했으나 몹시 불량스러워 보이고, 하얀 와이셔츠 아랫자락에 시뻘건 피가 묻어 있었다. 아마도 그 때문에 이곳으로 행차한 듯했다. 응급실 입구에서, 안으로 들어와 침대에 누우라는 안내를 받을 때부터 드라마에서 본 듯한 신경질적인 반응을 보였다. 그 위세가 흡사 임금과 그를 호위하는 신하들 같았다.

나는 침대에 누운 환자를 마주하러 갔다. 원칙상 보호자는 한 명만 옆에서 대기해야 하는데, 그들은 병원 침대를 들어 옮길 것처럼 수십 명이 붙어서 환자를 수행하고 있었다. 의료진은 언제나처럼 그들을 물리적으로 제지할 수 없어, 나는 그들을 비집고 들어가야 했다. 들큼한 술냄새와 역겨운 담배 냄새가 사방을 둘러싸고 있었다. "네가 담당이냐? 우리 형님 잘 좀 봐드려라." 그들은 조롱 섞인 말을 쏟아내며 조금이라도 마음에 들지 않으면 내 멱살을 잡아챌 기세였다.

간호사는 금식하라고 안내했지만, 듣는 사람은 아무도 없었다. 이윽고 간호사가 혈압과 맥박을 재려고 환자의 팔에 손을 대자, 사내들은 거친 손아귀로 간호사의 여린 손길을 폭력적으로 뿌리쳤다. "형님한테 쓸데없는 짓 하지 마. 여자가 병원에서 하는 짓이라곤 한심하게." 그들은 곧장 주먹을 날릴 기세로 위협적인 분위기를 조성했다. 단순히 원칙을 지키자는 말로는 아무것도 할 수 없었다. 다만 비아냥 거리면서도 의사인 내 손길까지 거부하지는 않았다. 아슬아슬한 기분을 느끼며 환자의 옷자락을 걷었다. 왼쪽 하복부에 4센티미터 정도의 자상이 있었고, 그 틈으로 피가 울컥거리며 흘러내렸다.

"어떻게 하다가 다치신 겁니까?"

"의사가 보면 모르냐? 우리 형님이 노래방에서 미끄러져 바닥에 있던 칼에 찔렸다. 빨리 꿰매라."

꼬이고 취한 어투에 희곡에서 뽑은 대사 같았다. 굳이 의사가 아니라도 사실이 아님을 알 수 있었다. 영문은 알 수 없었지만, 누군가가 칼을 쥐고 꽂은 것이었다. 나는 열상의 깊이를 확인하기 위해 장갑 낀 손으로 상처에 손을 넣었다. 손가락은 쑥 들어갔고, 뜨거운 복강과 흘러나오는 피를 확인할 수 있었다. 장천공 가능성이 높았다. 그렇다면 이 사람은 당장 수술이 필요한 중환이었다.

"칼이 복강을 뚫었습니다. 일단 개복수술이 필요합니다. 게다가 대장이 찢어졌을 가능성이 높습니다. 신속하게 CT를 촬영하고, 수술 준비를 하겠습니다."

환자에게선 기대했던 답변이 돌아왔다.

"니가 뭔데 그딴 걸 하겠다는 거야. 헛소리 말고 빨랑 꿰매기나 해, 집에 가게."

옆에 있던 한 무리의 남자들도 비슷한 투로 빈정거렸다.

"지 맘대로 하는 돌팔이구먼. 어디서 하필 돌팔이 새끼가 걸렸어."

마음이 푹 가라앉아 오그라드는 것 같았다. 환자가 치료에 불응하는 상황에서, 의사의 권위는 눈곱만큼도 통하지 않았다. 그렇다고 의학적 원칙이나 사망 가능성에 읍소해도 들을 것 같지 않았다. 나는 헛된 말인 줄 알면서도 다시 원칙을 호소했다.

"일단 검사만이라도 합시다. 이 상처로 인해 진짜 큰일날 수 있습니다."

환자는 인내심이 한계에 도달했는지, 더이상 들으려 하지 않았다.

"에이, 밥맛 떨어져. 담배나 피우러 가자."

원칙상 응급실에 내원하는 모든 환자는 물을 포함해 금식이 원칙이다. 더욱이 흡연은 상식적으로도 허용이 안 되는 일이다. 하지만 그런 사소한 원칙을 지킬 사람들이 아니었다. 그들은 침대 옆에 서 있는 나를 밀치며 피 흘리는 환자와 함께 담배를 피우러 응급실 밖으로 우르르 나가버렸다. 이들을 물리적으로 제지할 도리가 없었다. 나는 어쩔 수 없이 다른 환자에게로 돌아섰다. 처치실에서 서로의 얼굴을 할퀸 여자 둘을 눕혀놓고 하나하나 상처를 봉합하고 있는데 처치실 문틈으로 방금 전 그 사내들이 소리치며 지나가는 것이 보였다. "형님이 똥 마려우시댄다." 피칠갑한 와이셔츠의 사내는 정말 변이 마려운 듯 약간 더 비틀거렸고, 사내들은 다시 한번 우르르 화장실로 몰려갔다.

그리고 봉합이 마무리될 때쯤, 갑자기 소란스럽고 다급한 사내들의 목소리가 들려왔다. 나는 봉합실에서 나가 상태를 파악했다. 미처 바지춤을 반밖에 올리지 못한 환자가 화장실 문 앞에 피를 쏟으며 쓰러져 있었다. 기어서 나왔는지 그의 뒤로 핏자국이 죽 이어져 있었다. 와이셔츠엔 피가 더 흥건하게 번져 있었고 바지춤까지 피범벅이었다. 달려가서 흔들어보았으나 그는 의식이 없었다. 나는 바지를 마저 내리고 그의 항문에 손가락을 넣었다. 손은 삽시간에 피범벅이 되었다.

인간의 대장은 오른쪽에서 올라가 위로 길게 돌고 왼편으로 내려와 항문으로 연결된다. 그러므로 오른쪽 대장 출혈은 항문까지 도달하는 데 시간이 오래 걸리지만, 왼쪽 대장 출혈은 금세 항문까지 도달한다. 이 사람의 상처는 왼쪽이었으니, 일단 칼이 대장을 찢어버린 게 확실했다. 잘린 장에서 쏟아지는 피가 직장을 가득 채워, 그는 참을 수 없는 변의를 느꼈을 것이다. 그는 변기에 앉자마자 본능적으로 자신이 쏟아내는 것이 핏덩이라는 사실을 깨달았을 테고, 직장 안의 압력이 갑자기 빠져나가며 출혈이 가속되자 삽시간에 어지러움을 느끼며 의식이 가물거렸을 것이다. 생명이 빠져나가는 느낌을 받았을 게 분명했다. 그 예감에 그는 핏줄기를 흘리며 기어나와 정신을 잃었던 것이다.

그가 어떤 치료도 거부하지 못할 상황이 되고 나서야 의료진은 그의 혈압과 맥박을 잴 수 있었다. 맥은 간신히 잡혔고, 혈압도 낮았다. 생사의 기로를 오가는 중환이어서 최대한 빨리 수술 준비를 해야 했다. 잠시 당황한 듯한 검은 옷의 사내들 사이에서 의료진은 피로 범벅된 커다란 몸집의 환자를 들어 침대로 옮겼다. 그는 침대에 사지를 뻗은 채 쿵, 하고 떨어졌다. 그가 처음 쓰러진 자리부터 침대까지 굵은 핏방울이 아무렇게나 떨어져 범벅이 되어 있었다.

치료는 이제 순조롭게 진행될 참이었다. 의식을 잃은 그에게 지금이라도 산소를 투여하고, 소변량을 체크하고, 수액과 피를 신청하고,

어깨 아래의 중심정맥관을 잡고, 외과를 연결해서 수술방으로 보내면, 환자는 그럭저럭 살 확률이 높았다. 방금 피가 쏟아지고 죽어가는 꼴을 봤으니 이제 사내들도 내 말이 틀렸다고 우기며 진료를 거부한다든지 당장 꿰매고 집에 가자는 말을 하지는 않을 터였다. 그러니 나는 오히려 다행이라는 생각에 본격적인 진료를 시작했다.

하지만 그것이 잘못된 생각이었다는 것을 깨닫기까지는 얼마 걸리지 않았다. 진짜 문제는 지금부터였다. 의료진이 환자를 살리기 위한 처치에 들어가자, 상황을 파악한 사내들은 도저히 예측하지 못한 행동을 하기 시작했다. 뜬금없이 각자 격한 감정을 폭발시키더니, 환자를 처치하고 수술 준비를 하려던 의료진을 밀쳐내며 끝도 없는 폭언을 뱉었던 것이다.

"치료가 왜 이따위야, 능력도 없는 새끼가."

"네가 내 말대로 당장 꿰매지 않아서 지금 사람을 죽일 판이잖아."

"이 돌팔이들이 계속 쓸데없는 짓을 하고 앉았네."

"왜 대꾸를 안 해? 지금 내 말이 안 들리냐? 나를 무시하냐?"

터무니없는 폭언이 쏟아지자, 주위에 있던 보호요원과 관계자들이 전부 몰려들어 응급실은 시정잡배가 실랑이를 벌이고 이를 제지하는 아수라장으로 변했다. 나는 경찰서에 전화를 부탁했고, 곧 경찰이 출동했다. 다급한 환자가 있다는 연락을 받고 뛰어내려온 외과 주치의는 피칠갑이 된 환자 한 명과, 난투극을 벌이는 한 무리를 당황한 모습으로 지켜보다가, 상황을 파악하고는 환자에게 뛰어들었다. 나는 외과 주치의에게 상황을 짧게 설명했다. 환자는 여전히 의식이 없는 채였다.

사내들은 보호요원에게 붙잡혀 실랑이를 벌이고 있었다. 환자 주변에 간신히 공간이 생기자 간호사와 의사들은 수액 투여를 위한 주삿바늘과 체액량 확인을 위한 소변줄을 꽂고, 모니터링을 준비했다. 그런데 유난히 체격이 커 보이는 검은 덩치 하나가 보호요원들의 제지에도 아랑곳하지 않고 옆에서 커다란 팔을 크게 빙빙 돌리며 영문을 알 수 없는 방해를 했다.

"왜 나를 무시하는 거냐고, 응? 왜 나를 무시해."

의료진은 대꾸하거나 맞설 기운이 없어 그 부정확한 팔을 피하거나 맞으면서 환자를 처치했다. 아까 내가 한 것처럼 환자의 항문에 손을 넣었던 외과 주치의는 피투성이로 변한 손바닥을 보고는 고개를 저으며 말했다.

"바이탈만 봐줘. 수술방 알아보고 올게."

나는 고개를 끄덕이며, 포셉forceps, 의료용 집게으로 환자의 자상을 크게 소독하고 거즈를 뭉텅이로 덮어 고정했다. 금방 피가 배어나왔다. 그리고 마지막 테이프를 끊어서 환자의 복부에 붙인 순간 방금 그 덩치 큰 남자의 취기 어린 주먹이 날아왔다. 나는 그 주먹을 스치듯 피하며, 여전히 버둥거리는 아수라장을 바라보았다. 선악이 분명한 상황이었으나, 다급하게 호출한 경찰은 뒤에 평온하게 서서 지켜보기만 했다.

엑스레이가 한차례 혼란스럽게 지나가고, 중심정맥관이 도착했다. 주치의인 나만이 이것을 환자의 몸에 넣을 수 있었다. 나는 가운을 벗어 던진 뒤 멸균 장갑을 양손에 끼고 그의 어깨를 소독하기 시작했다. 그는 수액 처치로 혈압을 약간 회복하고, 의식까지 조금 되찾아 꿈틀거렸다. 나는 굵은 펜 심만한 14게이지 바늘을 들고 그의 어깨에 포를 덮었다. 이제 내 양손과 환자의 어깨는 전부 멸균된 상태였다. 여기에 소독되지 않은 것이 닿으면, 환자의 정맥관이 감염될 수 있었다. 나는 쇄골 아래를 만지며 주사기의 각을 쟀다. 별안간 방금까지 간호사를 붙들고 소리 지르던 덩치 큰 남자가 나에게 시선을 돌리더니 외쳤다.

"야, 이 새꺄, 너 지금 뭐 하는 거야."

그 태도가 너무 위협적이라서 무시할 수가 없었다.

"당신 친구분을 살리려고 합니다. 저는 여기서 유일한 주치의이고, 당신 친구를 살릴 수 있는 유일한 사람입니다. 이건 꼭 필요한 시술인데다 위험하기도 합니다. 여기 전부 멸균되어 있으니 손대지 말고 제발 나가주세요."

"미친 새끼, 어린 새끼가 나한테 나가라고? 나가라고?"

터무니없는 광적인 반응이었다. 사내는 정신이 나간 것 같았다. 하지만 두 손과 환부가 소독된 상태여서 마음이 급한 나는 더이상 응대할 수 없었다. 마음을 굳게 먹고 고개를 숙이고 환자의 어깨를 더듬어 그 자리에 14게이지 바늘을 꽂았다. 주사기 안으로 정맥에서 뿜어져나온 피가 쭉 빨려들어왔다. 일단 혈관을 찾는 데 성공한 것이었다. 순간 번쩍이는 별이 보였다. 정신을 차리니 내 고개가 돌아가 있었다. 그가 내 뺨을 후려친 것이었다. 나는 멸균된 손으로 환자의 몸에 주사기를 꽂은 상태라서 전혀 반응할 수 없었다. 볼이 화끈거리며 아찔했다. 참담한 느낌이었다. 문득 이 사내가 자신의 친구를 죽이고 싶어하는 것 아닐까 하는 생각이 들었지만, 실제로 그렇게 된다면 책임은 전부 내 몫이었다. 이 사람은 마구 행동하고, 모든 죄는 내가 짊어진다. 고개를 돌리자 다행히 주사기는 그대로 꽂혀 있었고, 내 손은 본능적으로 그 주사기를 버텨내고 있었다. 나는 소리 질렀다.

"제발, 이거 끝날 때까지만이라도 저 사람 좀 막아주세요."

심상치 않은 광경에 보호요원들이 각자 잡고 있던 사람을 놓고 그에게 달려들었다. 하지만 그는 보호요원들의 제지를 뿌리치고 계속 나를 구타하기 시작했다. 그는 큰 손아귀로 내 멱살을 거칠고 힘차게 잡아올렸다. 피부가 벗겨져나가고 옷이 죽 찢어져 내 맨몸이 드러났으며 발뒤꿈치가 조금씩 들리기 시작했다. 여기서 두 손을 놓고 내 멱살을 잡는 손아귀를 막으면 14게이지 주사기는 환자의 몸에 박힌 채 허공에 매달릴 것이고, 주삿바늘을 그대로 뽑는다면 그 구멍에서 피가 뿜어져나올 것이었다. 나는 손을 놓을 수 없어 주사기를 잡은 채 그의 손찌검을 몸으로 다 받아내야 했다. 보호요원이 억지로 멱살을 놓게 하자, 그는 손으로 내 얼굴을 마구 긁었다. 그러고는 이제 훤히 드러난 내 상체에 계속 주먹을 뻗었다. 아픈 느낌보다는 수치스럽고 분해, 이 상황이 도저히 믿기지 않았다. 결국 더 많은 사람들이 달려오고 나서야 그는 떨어져나갔고, 나는 육체가 능욕당해 마음이 빠져나가는 것 같았다. 다행히 소독해둔 필드는 그대로 보존되어 있었다. 나는 그때까지 붙들고 있던 중심정맥관을 마저 넣었다. 지옥같이 긴 순간이었다.

정맥관 확인을 부탁하고 당직실로 잠시 들어왔다. 옷도 갈아입고 마음을 추슬러야 했다. 넝마 같은 근무복을 벗어 던지자 만신창이가 된 전신이 드러났다. 나는 모멸감과 피로로 당장 쓰러져버리고 싶었다. 내가 왜 이런 멸시를 받아야 하는지 알 수가 없었다. 갑자기 머릿속에 예이츠의 시구가 떠올랐다. "가장 선한 자들은 모든 신념을 잃고, 반면 가장 악한 자들은 격정에 차 있다."* 선과 악, 신념과 격정, 마치 그는 이 상황을 미리 알고 목격하며 쓴 것 같았다.

나는 상의를 벗은 채 머리를 감싸쥐었다. 의업의 신념이나 숭고함은 떠오르지 않고, 대신 눈물이 났다. 하지만 환자가 수술방에 들어갈 때까지 나는 그를 지켜내야 했고, 아직 응급실에는 토요일 새벽의 열기로 신음하는 사람들이 널려 있으며, 내 근무 시간은 아직 여덟 시간이나 더 남아 있었다. 그러니 돌아가야 했다. 나는 어쩔 수 없이 여분의 근무복으로 갈아입고 심호흡을 했다. 그래, 아무 일 없었던 것처럼 돌아가는 거야.

긁히고 엉망이 된 얼굴로 다시 복귀했다. 마음은 텅 비고 몸만 간신히 걷고 있는 것 같았다. 환자는 다행히 안정을 찾아갔고, 방금 전에 확보한 정맥관으로 수혈도 이루어지고 있었다. 검은 옷의 사내들은 이제 자신들의 유희가 끝났는지, 그토록 소중하게 지키던 사람을 두고 뿔뿔이 흩어져 잘 보이지 않았다. 계단에서 구른 중년 남성은 뇌출혈로 중환자실로 향했고, 피가 뿜어져나오는 손가락이 당장이라도 떨어져나갈 것 같은 남자가 나를 기다리고 있었다. 외과 주치의는 이제 수술방이 준비되었다며, 응급실로 내려와 환자 상태를 확인하고 수술팀에 호출했다. 나는 다른 환자들을 정리하며 마지막으로 환자 곁에 서서 생체 징후를 확보하고 있었다. 그때 내 뺨을 때렸던 사

---

* 윌리엄 예이츠, 「재림the second coming」 중에서.

내가, 불량스러운 걸음걸이로 응급실을 활보하고 있었다. 그렇게 악랄한 사람을 다시 만나게 되니 놀랍고도 두려운 마음에 스테이션에 물었다.

"아니, 아까 경찰, 경찰 있었잖아요. 경찰이 분명 다 봤는데, 저 사람 안 잡아갔어요? 왜 아직까지 저 사람이 활보하고 있는 거죠?"

"경찰은 진작에 갔어요. 환자 보호자이고, 당사자가 고소하지 않을 난동이니, 훈방조치래요."

"……"

놀라웠지만, 할말이 없었다. 그는 나를 짓밟았다는 사실조차 기억하지 못하는지 나에게 시선도 주지 않았다. 하지만 두려웠다. 마음을 굳게 먹고 있었지만, 두려움은 어쩔 수 없었다. 그가 별안간 마음이 변해 다시 달려들지 않을까, 그렇다면 방금 전과 같은 일이 또 반복되는 것 아닐까, 내심 몹시 두려웠다. 하지만 나는 짐짓 태연하게 응급실에 밀려드는 사람들을 막아내며 수술방에 올라갈 환자를 지키고 있었다. 두려움 때문에 몸이 잘 움직이지 않았다. 반면 그는 아무렇지 않게 응급실 환자들 사이를 성큼성큼 돌아다니며 시끄럽게 전화를 하다가, 그마저 흥미가 떨어졌는지 응급실 바깥으로 나가버렸다. 여전히 나에게는 시선조차 주지 않은 채.

그가 나에게 왜 그런 행동을 했을까? 실제로 어떤 미움을 느껴서였을까, 아니면 그마저 저 사람에게는 한때의 유희에 불과한 것이었을까? 그리고 저 남자가 아무렇지 않게 이런 방식으로 세상을 당당히 살아가는 것이 맞는 것일까? 나는 도저히 이해할 수가 없었다.

칼에 맞은 환자는 수술방으로 올라갔다. 안정적인 경과였다. 다행히 내가 당한 모멸감으로 한 사람의 생명을 지켜낸 셈이었다. 이제 검은 옷을 입은 사내들은 응급실에 흔적도 남기지 않고 사라져버렸다. 일생 다시는 그들을 만날 일이 없으리라, 생각했다. 그리고 응급실을 한번 둘러보았다. 이곳은 아무 일도 벌어지지 않았던 것처럼 여전히 소란스러웠다. 나만 견디고 참으면 그만인 것 같았다. 하지만 내겐 일해야 하는 긴 밤과 하소연할 곳 없이 망가진 몸과 금방이라도 무너질 것 같은 마음이 여전히 남아 있었다.

밤은 산 하나를 지나듯 간신히 넘어갔다. 아침까지는 아무도 죽지 않았다. 나는 칼을 맞았던 그가 살아 있음을 컴퓨터로 확인했다. 그는 이 밤을 한때 지나간 나쁜 기억으로 반추할 것이다. 하지만 나는 아무것도 잊을 수 없었다. 보상받지 못할 상처를 끌어안고, 어떠한 환자에게도 빚을 지지 않았다는 사실을 확인하고서야, 지옥 같았던 그날의 일을 마치고 간신히 퇴근할 수 있었다.

응급의학과는 의사들이 가장 선호하지 않는 과로 꼽힌다. 그리고 응급실은 흔히 지옥에 비유된다. 밤을 새우는 과중한 업무강도 때문에 그렇기도 하지만, 가장 결정적인 이유는 응급실에서는 사회의 치기 어린 난동이나 폭언을 고스란히 받아내야 하기 때문이다. 폭행이나 폭언을 한 번도 경험해보지 않았다고 대답할 응급실 근무자는 단연코 존재하지 않는다. 이런 상황을 뻔히 알고도 응급실 근무로 뛰어들려면 용기가 필요하다. 의료진도 사람이기 때문이다.

이 일은, 단순히 한 사람이 다른 사람에게 구타당한 사건이 아니다. 나는 당시 응급실을 책임지는 유일한 주치의였고, 항거 불능 상태에서 심각한 타격을 입을 수 있었으며, 그로 인해 진료가 불가능한 상황이 될 수도 있었다. 더불어 내가 들고 있던 바늘이 환자를 꿰뚫어 죽일 수도 있었다. 또한 내가 견디지 못하고 쓰러졌을 때, 그 환자를 포함해 더이상 치료받을 수 없는 옆 사람, 그리고 그 옆 사람들이 차례로 죽어나갈 수도 있었다. 이것은 나 개인의 안전을 넘어 많은 이들의 안전을 담보로 한 끔찍한 폭력이었다.

의사는 환자를 이해해야만 하는 사람이다. 그리고 환자의 주변 환경과 보호자들까지도 따뜻한 마음으로 이해해야 하는 사람이라고 믿는다. 그래서 나는 지금껏 내게 벌어졌던 난동과 폭언을 최대한 헤아리려 한다. 하지만 병원 내 폭력에 관한 인식이 아직 제자리걸음인 것은 안타깝다. 병원 내 난동은 약자인 환자와 보호자가 강자인 의료진에게 자신의 뜻을 표현하는, 사회적으로 용납되는 폭력으로 인지되고 있다. 2016년 5월 의료인폭행가중처벌법이 간신히 통과되었지만, 그후로도 폭행 피의자가 제대로 된 처벌을 받은 일은 거의 없다. 현장에서 공권력은 대개 방관하고, 현실적으로 환자를 이해해야 하는 의사가 처벌이나 실형을 강력하게 주장하기는 어렵다. 그래서 아직도 의료진은 그 무차별적인 폭력 상황을 온몸으로 받아내고 있다.

나는 부족하지만 환자에게 최선을 다하고 싶은 한 사람의 의사이고, 또 인간이다. 고통받는 사람을 마주하면 고민하다가도, 어쩌다 위해를 받거나 폭언을 당하면 깊이 상처받아 한동안 늪에 빠진 것처럼 헤어나기 힘들다. 다른 인간에게 미움을 받으면 흡사 마음속에 큰 짐이 올라탄 듯 먹먹한 기분이 든다. 그래서 여전히 그런 사람들을 마주하면 이겨내고 최선을 다해야 할지, 아니면 도망가야 할지 종잡을 수가 없다. 당연하지만, 신념과 생명을 지키려는 사람을 존중해야 한다고 여기는 세상이 오기를 바라본다.

악마를
만나다

　한가한 낮시간, 나는 응급실 한복판에서 컴퓨터 화면을 바라보고 있었다. 그때 문득 저 멀리서 한 무리의 사람들이 몰려왔다. 대체로 차분한 톤의 옷을 차려입은 중년의 남녀들이었다. 그들은 다소 당혹 스러운 표정으로 웅성거리며 들어왔다. 기도하는 사람, 두 손을 마주 잡고 중얼거리는 사람들에게선 뭔가 심상치 않은 일이 일어났음을 예감할 수 있었다.

　나는 그들과 컴퓨터 화면을 번갈아 보았다. 곧 화면에 그들이 몰고 온 침통함의 근원이 접수되었다. 2개월밖에 되지 않은 여자아이였다. 멀리서 안내를 받은 이들은 열을 지어 격리된 소아과 진료실로 들어 갔다. 저 많은 어른이 어린아이 하나를 데리고 오다니. 아이가 열이 라도 나는 것일까, 아니면 어디 다치기라도 한 것일까. 이상한 느낌이 들어 화면을 닫고 곧바로 소아과 진료실로 향했다.

아이를 둘러싼 사람들은 끔찍한 것이라도 보는 듯한 표정이었다. 나는 그 사람들을 헤치고 아이 앞에 섰다. 그리고 옆에 있는 사람에게 연유를 물었다.

"어디가 아파서 왔나요?"

"아이가 이상해서 왔습니다. 이상합니다, 아이가."

고개를 돌려 일단 아이를 확인했다. 2개월 된 아이는 조그맣고 위태로운 생명이라 말을 못하는 것은 당연하고, 어떤 식으로도 의사소통이 어렵다. 그래서 의사들은 어린아이의 건강 상태를 객관적으로 판단하는 많은 지표를 가지고 있다. 그중 가장 중요한 지표는 아이가 보여주는 전반적인 활달함이다. 건강한 아이는 외부 자극에 반응해 감정을 즉시 표시하든지, 보채고 울며 끊임없이 자신을 드러내고 굶주림이나 기타 요구 사항을 전달하며 보살핌을 요구한다. 그것이 말 못하는 아이의 당연한 생존 본능이고, 그것이 활달함의 정도로 나타난다. 의사는 이를 토대로 아이의 건강 상태를 우선 짐작한다.

하지만 이 아이에게선 평가할 필요가 거의 없을 정도로 활달함을 찾아보기 어려웠다. 낯선 병원에 와 있음에도 외부 자극을 전혀 느끼지 못하는 듯 그대로 침대에 누워 있었다. 아이는 고개를 바로 뉠 힘도 없는 듯 머리를 아무렇게나 늘어뜨린 채 눈만 간신히 끔뻑거렸다. 당연히 활달함 정도는 가장 낮았고, 사지의 긴장도도 지나치게 떨어져 보통 하늘을 향하거나 끊임없이 움직여야 할 팔다리가 축 늘어져 있었다. 숨은 쉬고 있었지만, 일견 죽은 아이 같았다. 아이의 겉모습만 보았음에도 '이상하다'는 말이 충분히 이해되었다. 죽음으로 가는 과정에 있는 아이 같았다. 나는 고개를 들어 보호자를 찾았다.

"엄마가 누굽니까?"

"저, 전데요……"

"아이가 왜 이렇죠?"

"에…… 제가, 저는, 저……"

아이의 엄마와 눈을 마주한 나는 무언가 사정이 크게 잘못되었음을 깨달았다. 젊은 얼굴이었지만 멀쩡한 사람이라고 하기에는 묘한 구석이 있었고, 두 눈의 초점이 맞지 않았다. 머리카락도 아무렇게나 묶여 있었고, 옷매무새도 흐트러져 있었다. 어투도 간신히 알아들을 정도로 어눌했으며, 정확한 문장을 이어나가기도 어려워 보였다. 경도의 정신지체 같았다. 자기 한몸 건사하기도 어려웠을 어머니가 아이를 키우고 있었던 것이다. 함께 온 이들이 목사라고 부르는 이가 덧붙였다.

"엄마가 정신지체가 있는 분이어서 교회에서 도울 일이 있나 정기적으로 방문하는데, 저번 방문 때 아이가 조금 안 좋아 보였어요. 그땐 그러려니 했는데, 이번에 신도들과 같이 방문해보니 아이가 울지도 않고 축 처진 것이 이상해서 데리고 왔습니다."

일반적인 경우 아이가 이 지경까지 되는 일은 좀처럼 있을 수 없다. 이것은 어떤 방식으로든 학대의 결과였다. 나는 급한 마음에 더이상 부연 설명을 듣지 않고 아이에게 손을 댔다. 이마가 싸늘했다. 머리를 자세히 보니 기묘하게 울퉁불퉁했으며, 한쪽은 아예 움푹 꺼져 있었다. 2개월 된 아이의 두개골은 아직 완전하지 않으며 아주 얇다. 그런 아이의 연약한 머리에 손을 대고 누르자 얇은 두개골이 젤리처럼 몰캉거리며 출렁였다. 참담한 느낌에 순간 욕설을 내뱉을 뻔했다.

곧 마음을 가다듬고 아이의 전신 상태를 체크했다. 너무 이쁘게 생긴 눈매를 마주하니 덜컥 겁이 났다. 두 눈을 깜빡이는 순수한 모습이 왠지 모르게 두려웠다. 눈을 피해 얼굴을 보니 인중은 윗입술까지 불규칙하게 터지고 갈라진데다, 입안이 말라 탈수가 심해 보였다. 몸통을 검진하자, 아이가 바닥으로 추락했을 때 가장 부러지기 쉬운 쇄골 양쪽이 두 토막 나 있고, 온전하다면 눌리지 않아야 할 갈비뼈도 두둑거리는 파열음을 냈다. 아이의 가늘고 짧은 팔다리도 관절이 아닌 곳에서 조금씩 뒤틀려 있었다. 나는 악마의 소행을 느꼈다. 아찔하게 추락하는 느낌이었지만 애써 침착하게 상황을 정리했다.

"일단, 빨리 검사부터 해봅시다."

아이를 급히 검사실로 보냈다. 전신을 촬영하는 처방이었지만 실은 간단했다. 이렇게 작은 아이는 어른용으로 규격이 정해진 엑스레이 한 장만으로 전신을 찍을 수 있으니 아이의 정면과 측면, 두 장의 사진이 곧 화면에 뜰 것이고, 이어서 두부의 CT를 받아볼 수 있을 것이다. 나는 조바심이 나서 컴퓨터를 의미 없이 만지작거렸다. 아이와 함께 온 이들은 소아과 진료실 안에 둥그렇게 서서 목사의 지도 아래 합을 맞춰 함께 기도를 하고 있었다. 응급실에 특유의 공명을 품은 찬송가 소리가 울려퍼지자, 나는 더욱 불길한 느낌이 들었다. 역설적이게도 마치 불행의 전조처럼 들렸다.

엑스레이 결과가 화면에 떠올랐다. 예상대로 아이의 짧고 약한 뼈가 여기저기 조각나 있었다. 따로 부위를 칭하기 어려운 전신 골절이었다. 또한 예상대로 골절 시기가 제각기 달라 유합되고 새로 생겨난 자리가 보였다. 지속적인 학대의 전형적인 소견이었다. 그러나 2개월 밖에 되지 않은 아이가 이토록 지속적인 학대를 당했다면, 도대체 그 학대는 언제부터 시작된 것일까. 아이의 박살 난 팔다리를 보고 있는데 조그마한 뇌를 촬영한 CT를 확인하라는 신호가 화면에 떴다.

떨리는 마음으로 CT 영상을 열었다. 역시 아이의 머리는 구형조차 온전히 남아 있지 않았다. 두개골이 잘게 조각난데다 머리가 크게 기울어져, 무엇인가로 머리를 구겨버린 것 같았다. 순서대로 눈앞에 들어오는 아이의 대뇌, 뇌실, 뇌간 역시 의학용어로 칭하기 부끄러울 정도로 학대 흔적이 가득했다. 뇌 안에서 출혈이 생기면 곧 굳어 고체와 비슷한 상태가 되는데, 이것은 시간이 지날수록 점차 액화되어 흡수된다. 일련의 시차를 두고 일어나는 출혈과 흡수 과정은 CT 사진에서 각기 다른 색깔로 찍히는데, 아이의 뇌에는 오래된 것부터 최근 것까지, 다양한 색깔과 크기의 출혈이 구석구석 찍혀 있었다. 나는 아이가 아직 2개월밖에 살지 않았다는 사실이 다시금 떠올랐다. 왜, 누가, 언제부터, 이 아이를 이토록 비참하게 부수어버렸을까.

나는 고개를 크게 흔들고 신경외과 동료에게 전화했다.

"어, 응급실에 무슨 일 있어?"

"2개월 된 아이가 와서 방금 CT를 찍었는데, 한번 봐줄래?"

"응, 마침 컴퓨터 앞에 있어. 잠깐만."

잠시 부스럭거리는 소리와 마우스 휠이 굴러가는 소리가 들려왔다. 그리고 곧 정제되지 않은 동료의 외침이 수화기를 타고 넘어왔다.

"씨발, 어떤 개새끼가 애 머리를 이따위로 만들어놨어, 미친 새끼. 이 새긴 멀쩡히 밥 먹고 숨쉬고 있을 것 아냐. 이런 씨발놈은 천벌

안 받나?"

"그래…… 아이의 멘탈이 조금 처지고 있어. OP수술나 EVD뇌실의 뇌척수액을 빼내 뇌압을 낮추는 방법가 바로 필요할 것 같아."

"기다려, 지금 내려가서 볼게."

신경외과 동료는 곧 가운을 휘날리며 응급실로 내려왔다. 그는 펜라이트를 들어 아이의 눈동자를 비추어보고 전반적인 상태를 관찰하더니, 내가 했던 것처럼 머리에 손을 댔다. 곧 그도 끔찍한 기운을 느꼈는지 손을 움찔거렸다. 그러곤 바로 모여든 사람들에게 이야기하기 시작했다.

"뇌출혈이 심합니다. 왜 이렇게 되었는지는 일단 차치하고, 아이 상태가 벌써 안 좋아요. 아이의 뇌출혈 범위가 너무 광범위하고 출혈 시기도 섞여 있어서 수술을 하기는 애매합니다. 지금은 뇌압이 올라서 아이의 의식이 떨어지는 것으로 보입니다. 뇌실에 관을 꽂아 압력을 줄이고 피를 조금 빼내도록 해야겠습니다."

아이의 엄마는 별다른 대답도 없고 어떠한 감정도 드러내지 않았다. 목사라는 사람이 대신 대답했다.

"그럼 부탁드리겠습니다."

아이는 처치실로 옮겨졌다. 카트에 실린 아이에게선 두려움도, 어떤 감정이나 표정도 찾아볼 수 없었다. 마치 숨을 쉬는 것조차 버거워, 낯선 환경을 인지하고 감정을 표출하는 일은 염두에도 두지 못하는 것 같았다. 이윽고 아이는 번쩍이는 기계와 도구로 둘러싸인 처치실 한복판에 하얀 조명을 받으며 누웠다. 이어 날카로운 시술 도구들이 마구 날려졌다. 시술을 위해선 한 사람이 아이의 머리를 붙든 상태에서 다른 사람이 머리에 구멍을 내고 뇌실로 거치되는 관을 꽂아야 했다. 동료는 아이의 얼마 안 되는 머리를 면도칼로 깔끔하게 밀었다. 성긴 머리털이 사라지자 시퍼런 멍투성이의 민머리가 훤히 드러났다. 나는 다시 욱하는 마음이 들었다.

이제 본격적인 시술로 들어가야 했다. 나는 미동도 없는 아이의 머리를 똑바로 놓은 채 꽉 잡았고, 동료는 뇌실로 향하는 관을 정확히 꽂기 위해 각을 재더니, 머리 가죽 위에 가로세로로 직선을 그었다. 곧 점 하나가 머리 가죽 위에 찍혔다. 이어 소독된 파란 포를 덮은 다음, 아이의 울퉁불퉁한 민머리에 빨간 소독약을 바르고, 두개골용 드릴을 켜서 방금 표시한 지점에 구멍을 뚫었다. 얇은 두개골은 요란하게 진동하는 드릴이 닿자마자 허무하게 뚫렸다.

나는 아이가 혹여 움직일세라 손에 힘을 꽉 주었지만, 아이는 자신의 두개골에 구멍이 뚫리는 와중에도 미동조차 없었다. 나는 또 욕설을 뱉을 뻔했다. 얼마나 많은 구타와 고통이 계속되었기에 이런 상황에서도 아이는 반응을 하지 못하는 걸까. 자신의 머리를 부수는데도 반항조차 하지 못한다면, 진짜 죽기 직전의 상태 아닐까. 이런 생각으로 아이의 머리 가죽을 감싸쥔 내 두 손이 떨리며 축축해졌다. 동료는 뾰족한 관을 집어들어 뇌실 방향을 재고 뇌를 관통해 힘차게 박았다. 뇌압이 꽤 높았는지, 피와 뇌수가 섞인 맑고 붉은 액체가 머리로 연결된 관에서 뿜어져나왔다. 머리 안이 피범벅이었다. 이것은 악마가 만든 작품이었다.

아이는 시술이 끝난 다음에도 전혀 움직임 없이 눈만 껌뻑였다. 머리를 관통하는 관이 꽂혔을 뿐, 아이의 상태는 변한 것이 없었다. 나는 수액 투여와 다른 처치를 지시하고, 아이에 대해 묻기 위해 아이 엄마 앞에 섰다.

"누가 아이를 이렇게 만든 거예요? 아이 아빠가 있을 것 아니에요. 혹시 아이 아빠가 이렇게 때렸나요? 말 좀 해보세요."

모여든 사람들은 대답이 없었다. 아이 엄마는 기묘한 어조로 말문을 열었다.

"아빠 있어요, 아빠."

"아빠가 있다고요? 그러면 그 사람이 뭘 했습니까?"

"리모컨, 리모컨으로 머리를……"

나는 너무 아찔해서 황당한 기분마저 들었다. TV를 보다가 옆에 있는 갓난아이의 머리를 리모컨으로 후려칠 수 있는 악마가 있다니.

"그리고요? 다른 데는요? 더 있을 거 아닙니까?"

"떨어뜨린다. 그리고 발길……"

눈앞에 아지랑이가 보였다. 중년의 여성들은 갑자기 두 손을 모으고 끔찍한 표정으로 중얼거렸다. 교회 사람들도 짐작만 했지 전혀 모르고 있었던 듯했다. 모두가 숙연해졌고, 두려움에 떨었다. 더 물어볼 필요도 없었고, 더 듣기도 힘겨웠다. 내가 알아야 할 것은 이것으로 충분했다.

나는 소아과 치료실에서 나와 경찰에 전화했다. 아동학대를 목격하면 의료인은 무조건 신고하도록 되어 있었다. 그런 게 없었더라도, 나는 신고했을 것이다. 도와달라고, 혼자 헤쳐나가고 감당하지 않도록, 꼭 누군가에게 도와달라고 말하고 싶었다. 나는 응급실의 수화기를 들어 전화를 걸었고, 경찰은 말만 듣고도 몹시 놀란 듯했다. 이윽고 경찰 두 명이 응급실에 나타나 관계자를 모아 사실을 확인해가며 사건을 조사했다. 곧 그들은 여자의 남편을 호출했다. 경찰은 남편이 오면 현장에서 간단한 사실을 확인한 뒤, 그를 경찰서로 후송하겠다고 내게 전했다. 그 악마가 이제 나타난다. 여기 내 앞으로 온다.

많은 사람들이 사연을 알게 되어, 응급실은 언제 나타날지 모르는 그를 경계하는 분위기로 바뀌었다. 마치 그가 금방 나타나 자신을 해하기라도 할 것처럼, 사람들은 출입문 앞에 서는 것조차 꺼리고 있었다. 나부터 두려운 마음이 들었다.

나는 아이의 수액을 적당량으로 맞추고 상태를 관찰해가면서 응급실의 다른 환자를 보고 있었다. 순간, 출입문 근처에서 뭔가 불길한 느낌이 전해져왔다. 급히 환자의 진료를 마치고 나서 그쪽을 돌아보았다. 경찰과 이야기하는 모양새로 보아 아이의 아버지인 것 같았다. 심장이 마구 요동치며 두근거렸다. 하지만 나는 사건을 정확히 파악할 의무가 있어 들고 있던 차트를 내려놓고, 두려운 마음을 다잡은 뒤 그들에게 다가갔다. 그는 후줄근한 바지에 어울리지 않는 체크무늬 남방을 입고 있었다. 겉으로 드러난 손과 행색이 전반적으로 거칠었다. 그러나 평범하다고 할 수 있는 얼굴이었지만 눈빛이 너무나 이상했다. 형용할 수 없는, 푸르기도 하고 검기도 한 눈동자의 광채가 무엇인가 어긋나고 틀어진 느낌이었다. 그가 쏘아보는 것만으로 맞선 사람은 섬뜩한 느낌을 받았다.

"아이 아빠라고 들었습니다."

"아뇨, 제 아이 아닌데요."

처음부터 대화는 의도대로 흘러가지 않았다. 나는 다시 물었다.

"방금 여기 응급실에 온 아이의 보호자로 연락받고 오신 것 아닌가요?"

"거참, 걘 그냥 동거녀예요. 결혼한 것도 아니고, 어떤 새끼 앤지도 모르는데 내가 왜 보호잡니까."

"지금 아동학대가 의심되어 말씀드리는 겁니다. 보호자건 아니건, 아이를…… 그렇게 해도 되는 겁니까?

"아동학대는 무슨. 난 결혼도 안 했고, 내 애도 아니니 아동학대도 아니오. 사람 귀찮게 하네."

"아이를 때린 건 맞지 않습니까?"

"난 하여간 아동학대한 적 없다니까. 남의 일에 왜 신경을 쓰는 거야, 이 사람이."

나는 대화를 포기했다. 두려워서 더이상 물어보고 싶지도 않았다. 처음부터 대화가 가능한 사람이었다면, 이런 일이 벌어지지도 않았을 것이다. 이 사람을 취조하는 것은 내 일이 아니었다. 하지만 지금이라도 당장…… 두 주먹을 잠시 불끈 쥐었지만, 기묘한 두려움이 밀려왔다. 당장이라도 이 악마를 처단하고 내 손으로 부수어버리고 싶었다. 하지만 아무런 죄책감도 없이 형형한 눈빛을 하고 있는 사람에게 어떤 위해를 가할 수 있을까. 가한다손 치더라도 그것은 무력한 소동에 지나지 않을 것이다. 그건 내가 할 일도, 또 할 수 있는 일도 아니었다. 나는 옆에서 쳐다보고 있던 경찰에게 일을 넘겼다. 결국 아이의 상태를 확인하는 것만이 내가 할 수 있는 일이었다.

심호흡을 하고 모니터 앞으로 돌아와 아이의 상태를 확인했다. 피검사 수치가 그야말로 엉망이었다. 비단 물리적인 학대에 그치지 않은 것으로 보였다. 탈수가 엄청나게 심했고, 그와 함께 전반적인 피검사 수치가 참혹할 정도로 비정상적이었다. 생명을 다방면에서, 다분히 의도적으로 완벽하게 짓밟고 망가뜨린 것 같았다. 수액과 영양 공급, 올바른 골절 유합, 배액관 유지, 의식 상태 회복 관찰, 무엇보다 아이에겐 이 지옥 같은 세상에서 떨어져나와 안온하게 보호받는 일이 가장 필요했다. 그리고 지금은 피붙이도 없이, 하얀 벽으로 둘러싸인 채 기계만이 번뜩이는 소아중환자실이 그에 부합하는 유일한 공간인 듯했다. 내가 아이의 입원을 지시하자, 뒤에서 교회 사람들은 입원 동의서를 쓰느라 분주했다. 그사이 악마는 경찰서로 가버렸는지 자취를 감췄다.

나는 종일 등뒤에서 그림자처럼 악의 형상이 따라다니는 기분이었다. 그 기분은 새벽 무렵, 응급실이 전쟁통을 방불케 할 때까지 한동안 계속되어 내내 으슬거리는 느낌을 드리워, 별안간 나는 소스라치게 놀라 뒤를 돌아보곤 했다. 그와 대화를 나누었던 잔상이 가시지 않아 악몽과도 같은 밤을 보냈다.

불면과 불길한 느낌에 시달리며 소슬한 기분으로 다음날을 맞이했다. 듀티가 마무리되자 밤을 샌 머릿속은 누군가 꽁꽁 동여맨 느낌이었다. 나는 조바심치며 기운을 내어 목숨이 간당거리는 아이를 보러 소아 중환자실로 향했다. 중환자실은 외부인의 출입을 막기 위해 굳게 닫혀 있었다. 보호 덧신을 신고 소독된 덧가운을 입고 들어가자 고통받는 조그마한 아이들이 침대에서 각자 이런저런 관들과 불행을 몸에 꽂은 채 누워 있었다. 그 가운데에서 나는 두리번거리며 어제 입원시킨 아이를 찾았다.

응급의학과 의사인 내가 들어오자 의료진은 벌써 내가 어떤 아이를 찾는지 파악하고 안내해주었다. 이 좁은 공간에도 금세 아이에 관한 이야기가 퍼져, 예쁜 눈을 가진 이 아이는 간호사들의 연민과 사랑을 독차지하고 있었다. 나는 아이에게 다가갔다. 아이는 여전한 모습이었지만, 어제보다는 확실히 나아 보였다. 담당 간호사에게 아이의 상태를 물었다.

"아이의 의식은 어떤가요?"

"뇌압이 떨어지면서 계속 나아지고 있는 것 같아요. 그런데 선생님, 아이가 분유를……"

"기운이 없어서 잘 못 먹습니까?"

"아니요, 너무 잘 먹어요…… 아이가 입원할 때 엄마분께 지금까지 무엇을 먹였냐고 재우쳐 물어봤더니, 뭘 먹일지 몰라 베지밀만 사다 먹였다고 하더군요. 2개월 내내요. 아이용 분유를 처음 먹어서 아이가 너무 맛있어하는 거예요. 주는 대로 다 먹고 있어요."

"……"

"막 태어난 아이가 그것만 먹고 어떻게 견뎠을까요. 이 조그만 몸으로 끔찍한 구타까지 당하면서. 그러잖아도 아이가 너무 불쌍하고 예뻐서, 간호사들이 돌아가면서 한 번씩 안아주고 있어요. 이 아이, 무슨 짓을 당한 거죠? 이렇게 예쁜 아이에게 어떻게 그럴 수가……세상이 너무해요."

"법이 해결하겠지요. 일단 아이, 아이 좀 잘 봐주세요."

법이라는 말을 뱉고 나도 조금 놀랐다. 법이 이 일을 해결할 수 있을 거라고는 생각하지 않는다. 하지만 그릇된 어른들과 사회의 부조리함에도 불구하고 생명은 어떻게든 살아난다. 풀뿌리를 짓밟듯 발굽으로 짓이겨도 질긴 목숨은 결국 다시 싹을 틔운다. 이 어린 생명은 결국 상처가 선연하게 남은 몸으로 간신히 회복할 것 같았다.

나는 고개를 돌렸다. 아이가 낫기까지는 험난한 고난이 기다리고 있다. 너무 어린 나이에 뇌가 심하게 망가져, 어떤 후유증이 남을지 모른다. 그것을 전부 이겨낸다고 해도, 아이는 갈 곳이 없다. 아마 한동안 이 하얀 공간에 갇혀 있어야 할 것이고, 그후로도 어떻게 될지 막막해 짐작조차 할 수 없다. 세상에는 선한 사람이 많지만, 왜 선한 사람 가운데 이토록 악함의 결정체 같은 사람들이 존재하는 것일까? 그래야만 이 세상이 완전한 것일까? 왜, 무엇 때문에…… 생각이 나아가다 또다시 뒤에서 악마의 형상이 다가오는 듯해 소스라치게 놀랐다. 짓눌린 마음, 내 힘으로 어쩔 수 없는 수많은 일들. 응급실로 돌아가는 내 발걸음이 한없이 무력했다. 이 일에서 나는 무력한 존재일 뿐이었다.

라포를
형성한다는 것

의과대학의 커리큘럼 마지막에는 모든 과를 순환하는 병원 실습이 있다. 공부했던 내용을 병원에서 실제로 체험해보기 위해서다. 나는 맨 처음 소아청소년과로 실습을 나갔다.

실습 의대생은 가운을 입고 있긴 하지만 크게 할 수 있는 일이 없다. 실은 전혀 없다고 할 수 있다. 주요 업무는 그 과의 의료진이 하는 일을 옆에서 지켜보고 배우는 것이다. 그래서 그날도 우리는 소아과 교수님의 회진을 따라서 병동을 돌고 있었다. 평소처럼 교수님은 소아과 병동에 있는 자신의 환아들을 순서대로 진료하고 나서 아래층에 있는 환아 한 명을 보기 위해 엘리베이터를 탔다. 당연히 우리도 조심조심 교수님을 따랐다.

엘리베이터에는 사람들이 다양한 모양새로 서 있었고, 마침 아이와 함께한 아주머니도 한 분 있었다. 아주머니는 교수님과 안면이 있는 듯, 교수님을 보고 반갑게 인사했다. 교수님도 웃는 얼굴로 인사를 받아주었다. 느끼기에 교수님이 늘 보던 아이와 보호자는 아니고, 아이를 진료하느라 몇 번 마주친 것 같았다. 의례적인 인사를 짧게 나눈 뒤 조금 어색했던지, 아주머니는 금방 아이 얘기로 화제를 옮겼다.

"선생님, 우리 아이가 요새 골골대는데, 괜찮나 좀 봐주세요."

내려가는 엘리베이터 안이었다. 잠시 후면 문이 열릴 것이고, 진료하기에는 적절한 공간도 그런 환경도 아니었다. 의사도 준비된 진료실에서 충분한 시간을 들여 환자를 마주해야 정확한 진단을 내릴 수 있을 터였다. 그래서 막 실습 나온 우리는 교수님이 그 짧은 시간에 과연 어떻게 이 상황에 대처할지 주시하고 있었다.

그런데 교수님은 전혀 망설임 없이 아이에게 다가갔다.

"어디 보자."

교수님은 네댓 살쯤 되어 보이는 그 아이에게 큰 손을 뻗어 눈을 껌뻑이던 아이의 이마에 댔다. 유난히 기억에 남는 건 이마에 손을 대는 정도가 아니라, 머리 모양이 온전히 느껴지게 오른손으로 아이의 이마를 전부 가리고 왼손으로 뒤통수를 감싸셨던 것이다. 아이의 작은 이마와 머리는 교수님의 양손에 눈망울까지 푹 잠겨 제법 귀여웠다. 몸을 굽혀 양손을 뻗은 교수님과 가만히 서 있던 조그마한 아이의 모습은 흡사 열이 아니라 아이의 마음을 재는 것 같았다. 교수님은 한동안 그 상태로 아이를 애정 어린 시선으로 지켜보고 나서 말했다.

"열은 없는데, 많이 골골대나요?"

실은 그것으로 충분했다. 아주머니는 아이를 정식으로 진료해달라는 것이 아니었을 게다. 그리고 그 짧은 시간 동안 우리가 본 광경은, 이미 충분히 아이를 사랑하고 이해하려는 모습이었다. 그 혼잡한 엘리베이터 안에서 얼마나 더 훌륭하게 마음을 나눌 수 있을까. 짧은 진료는 아주 완벽하게 끝났다. 아주머니는 선생님이 봐주셨으니 아이가 괜찮을 것 같다고 말하곤, 감사 인사를 표했다. 교수님은 호쾌하게 아이에게 건강하라는 덕담을 남겼다. 문이 열리자, 교수님은 그다음 환자를 보기 위해 성큼성큼 발길을 옮겼다.

그 장면을 기억하고 있던 나는, 어느덧 의사가 되었다. 환자에게 손대는 일조차 겁나고 무서웠던 학생은 혼자 하루 100여 명의 환자를 직접 책임져야 하는 응급의학과 의사로 근무하게 되었다. 일과는 매번 혼잡하고 혼란스러웠다. 예기치 못한 일이 하루가 멀다 하고 터졌고, 죽어가는 사람들이 당장 눈앞에 나타났다. 그래서 열에 달뜨거나 각자의 고통에 시달리다 응급실로 몰려든 사람들 중에선, 위급한 다른 사람 때문에 기다려야 하는 사람들이 생겼다. 그 환자들의 호소와 볼멘소리를 듣고 그들을 이해시키는 것도 내 일이었다.

그럴 때마다 나는 일견 체온을 측정하는 것 같던 그 장면을 떠올리곤 했다. 의사가 된 나는, 체온을 잴 때는 기계로 재는 것이 가장 정확하다는 것을 알게 되었다. 의사의 손은 자체의 온도로 인해 체온을 평가하기에 부정확했다. 다만 대략적으로 열기를 판단할 수는 있고, 경험이 쌓이면 심부 체온이 높은 상태와 정상이지만 열감이 있는 상태를 구분할 수 있었다. 하지만 환자의 이마에 손을 대는 일이 중요한 것은 그 사람의 정량화된 체온을 정확히 파악하는 것에 있지 않았다.

나는 하루에도 수차례 누워 있는 환자에게 다가가야 한다. 일단 환자 가까이에서 눈빛을 교환하고 나면, 그 환자가 오래 기다린 탓에 힘겨워하고 있다거나, 뒤늦게 나타난 내게 억하심정을 호소하고 싶어 한다는 것을 느낄 수 있다. 그러면 나는 습관처럼 환자에게 다가가 이마에 깊게 푹, 손바닥을 얹는다. 좁은 엘리베이터 안에서의 교수님처럼. 그러면 환자의 이마에서 온기가 느껴지고, 방금까지 다급했던 땀내와 열기가 훅 밀어닥친다.

"늦어서 죄송합니다. 어떻게, 무슨 일로 오셨나요?"

그리고 가만히 그의 마음을 느껴본다. 그 사람에게, 같은 사람으로 성큼 다가가는 느낌이다.

"배가 아파서 왔습니다."

"네, 열감도 조금 있으시네요."

방금 자신의 체온을 나누어가진 사람을 미워할 수 있을까. 지금 자신의 이마에 손을 얹은 채 온기를 나누어 받고 있는 사람을 이해하지 못할 수 있을까. 나는 대화를 이어가며 그들의 표정이 안온해지는 광경을 본다. 그리고 그들의 호소를 귀담아듣는다. 그들은 이마에 얹혀 있는 손을 통해 마음을 전달받은 느낌으로, 내가 그의 말을 경청하고, 고통을 나누어가질 것임을 직감한다. 그리고 나는 매번 당시의 기억을 떠올리고, 이 혼란스러운 틈바구니에서 주어진 짧은 시간 안에, 그들의 마음속까지 큰 보폭으로 한 걸음 다가가 마음을 가늠하며 사람을 대하는 일을 시작하는 것이었다.

인턴 첫날의
일기

휴대전화가 진동했다. 모르는 번호였지만, 메시지는 한눈에 들어왔다. '세 시간 뒤, 제1 중환자실 입구.' 나는 휴대전화를 닫고 읽던 책에 서표를 꽂은 뒤 자리에서 일어나 막연한 시작을 예감하며 천천히 옷가지를 꾸리기 시작했다.

나는 2009년 2월 대학병원 인턴 입사를 확정했다. 곧 추첨을 통해 첫 한 달은 신경외과에서 보내는 것으로 결정났다. 그러곤 아주 짧은 기다림이 있었다. 의사가 되고 첫 병원 출근이었지만, 공식적인 메시지나 거창한 입사식 같은 것은 없었다. '세 시간 뒤, 제1 중환자실 입구.' 미사여구 없는 단호하고 사무적인 말투였다. 이제 그 자리에 가면 1년간의 긴 일정이 시작된다. 당장 제1중환자실 앞에서부터 언제 퇴근할지 모른다. 공식적으로 인턴은 1주일에 한 번 병원 밖으로 나갈 수 있지만, 갓 입사한 인턴에게도 그런 오프가 주어질지는 미지수였다. 심지어 신경외과는 인턴 생활에서 가장 힘든 과로 악명이 자자했다. 적어도 열흘은 병원 밖으로 나가지 못할 것이다. 그런 생각이 들자, 분명 한 번도 입지 않을 옷가지에도 손이 갔다.

캐리어를 챙겨 지하철에 올랐다. 사람들은 아프지 않고 평온했다. 열흘 후에도 사람들은 이렇게 평온할 것이다. 그렇게 생각하니 내가 이제부터 할 일은 아무것도 아닌 것 같았다. 하지만 이제 내가 떠안을 세상은 이곳과 관련이 없다. 나는 지금부터 병원 안에서만 보고, 듣고, 행동할 것이다. 막막한 기분에 무표정한 사람들을 지켜보았다. 행복하지도 불행하지도 않아 보였다. 병원엔 금방 도착했다. 약속된 시간까지 30분 남았다.

배정받은 인턴 숙소에 들어섰다. 숙소는 기존 인턴과 새로 들어온 인턴이 섞여 어수선했다. 나는 내 키보다 약간 크고, 내 어깨보다 약간 좁은 철제 캐비닛 중 빈 것을 찾아 얼마 되지 않는 짐을 넣었다. 방을 둘러보자 2층으로 된 여덟 개의 침대가 보였다. 열여섯 명이 사용하는 방이었다. 나는 그중 빈 침대를 골라 이름을 써붙이고, 옷가지 몇 개를 올려놓았다. 침대에 깔린 리넨에는 병원 이름이 빛바랜 고딕체로 새겨져 있었다. 나는 이 자리에서 5주간 잠들고 일어날 것이다. 만약 잠들 시간이 생긴다면 말이다.

제1 중환자실 입구는 굳게 닫혀 있었다. 잠시 기다리자 머리가 부스스하고 살집이 있는 레지던트가 풀어헤친 가운을 흩날리며 다가왔다.

"신규 인턴인가?"

"네, 잘 부탁드립니다."

"그래, 번호를 인계했으니 배운 대로 일하도록."

"네, 알겠습니다."

짧은 대화를 마치고 레지던트는 바삐 가던 방향으로 스쳐지나갔다. 긴 업무의 시작이었다.

나는 옆에 있던 컴퓨터를 열었다. 지나치게 뽀얀 가운과 느린 손놀림은 누가 봐도 신규 인턴으로 보일 것이었다. 나는 서툴게 신경외과 입원 환자를 정렬해 목록을 확인했다. 중환자실에는 15명의 환자가 있었고, 병동에는 47명의 환자가 있었다. 이제 이 환자들의 콜을 해결하면 된다. 신규 인턴이라고 일이 특별하거나 다르지는 않다. 그전 인턴이 하던 일이 그냥, 신규 인턴의 일이 되는 것이다. 거기엔 어떠한 층위도 변화도 없다. 병원 일은 수레바퀴처럼 돌아가고, 나는 새로 그 조각이 된다. 조각이 매끈하면 수레바퀴는 굴러갈 것이고, 모나면 바퀴는 파열음을 낼 것이다.

호출은 신규 인턴이라고 느리게 오지도, 그렇다고 빨리 오지도 않았다. 환자 목록에서 세 명쯤 확인했을 때 첫번째 전화가 왔다. 제2중환자실에 업무가 있다는 간단한 내용이었다. 스테이션에 가자 처음 보는 간호사가 나를 알아보았다.

"신규 인턴 선생님이시죠? 17번 환자가 방금 죽었으니, 두피 정리 좀 해주세요."

17번 환자는 생전에 뚱뚱했는지, 아니면 오랜 중환자실 생활로 전신이 부었는지 몸집이 비대한 할머니였다. 방금 죽어 체온이 채 식지도 않았으나, 눈에는 초점이 없고 벌써 전신이 거무죽죽했다. 옆에는 바느질 세트와 스테이플러 심을 제거할 수 있는 도구가 놓여 있었다. 일단 할머니의 눈을 감기고 머리를 꽁꽁 싸맨 붕대와 거즈를 제거했다. 무슨 수술을 받았는지, 두피를 크게 십자로 가로질러 100개쯤 되는 스테이플러 심이 박혀 있었다. 전신에는 병원 생활로 얻은 이런저런 찰과상이 보였고, 아무것도 들어가지 않는 중심정맥관과 동맥관이 거추장스럽게 매달려 있었다.

신규 인턴인지라 중환자실 간호사가 따라와서 업무를 설명해주었다.

"시체에 쇠가 박혀 있으면 안 되니 다 정리해주시고요, 벌어진 살을 도로 꿰매주세요. 여기 관들도 다 정리하고, 피가 좀 나니 한 땀 정도는 꿰매야 해요. 보호자들이 기다리고 있으니까 빨리 해주세요."

"네, 알겠습니다."

나는 장갑을 끼고 거무죽죽한 민머리에 박힌 스테이플러 심을 하나하나 떼어냈다. 시체의 머리칼은 평소에 깨끗이 밀어둔 것이 분명했지만, 죽기 직전에 조금 자랐는지 검은 털이 약간 올라와 있었다. 두피를 열자 단면에 짧은 머리칼이 성기게 박혀 있었다. 창백하다 못해 푸른 얼굴에 두피가 점점 벌어져 두개골이 드러나자 전반적으로 기괴한 느낌을 주었다.

곧 할머니의 두피는 지탱하던 힘을 전부 잃고 벌어졌다. 검붉은 핏물이 배어나왔지만, 환자가 죽은 터라서 피는 흐르지 않고 천천히 고였다. 나는 거즈를 들어 조심스럽게 핏물을 닦았다. 혈압이 없어, 핏물은 저항하지 않고 온전히 거즈에 흡수되었다. 이제 두피에는 약간의 핏기만 보였다. 이윽고 나는 몇 번 써보지 않은 바느질 도구를 주섬거리며 열었다. 인턴은 숙련돼 있지 않아 살아 있는 사람의 살을 꿰맬 기회가 좀처럼 주어지지 않는다. 하지만 이렇게 죽은 사람의 상처는 누구도 신경 쓰지 않고 불태워질 것이므로 어설픈 인턴이 맡는다. 연습할 수 있는 좋은 기회였지만, 두피를 드러내고 죽은 이 사람이 의사로서 보는 첫 환자라고 생각하니, 그리 행운이라는 생각은 들지 않았다.

나는 조금 떨리는 손으로 두피를 온전한 모양으로 다시 모아보았다. 제법 힘이 들었다. 지그시 그 모습을 보다가 손을 놓고, 일단 두꺼운 실에 매달린 바늘을 집어 방금 봐둔 두피 모서리에 꽂았다. 둔탁한 느낌이 들긴 했지만 즉시 바늘이 살갗을 뚫고 나왔다. 바늘을 뽑아 반대 모서리를 꿰뚫고, 그 위에 학생 때 배운 어설픈 매듭을 지었다. 딱 한 땀만 꿰매진 두피는 양쪽이 간신히 붙어 위태로운 느낌이었다. 그 사이로 아직 하얀 두개골이 훤하게 보였다. 환자가 전혀 움직이지 않아, 사람이라기보다는 어떤 물체를 꿰매는 기분이었다.

어떤 방식으로 꿰매도 이 환자는 항의할 수 없었다. 나는 익숙하지 않은 손놀림으로 겸자와 맨손을 투박하게 써가면서 남은 부분을 꿰뚫고 묶기 시작했다. 양 갈래로 갈라진 피부가 물리적으로 붙기만 하면 내 일은 끝이었다. 이 거죽은 거즈와 붕대로 다시 감싼 뒤 불태워질 것이었다. 나는 다행이라고 생각하면서 능숙하지 않은 솜씨로 남은 부분을 성기게 묶었다. 두개골을 덮기 위해 지그재그로 살을 꿰매자 죽은 두피가 안에서부터 울어 울퉁불퉁했다. 별로 만족스럽지 않았지만, 그럭저럭 두개골 수습하는 일을 마무리했다. 가운 주머니에 있는 휴대전화가 아까부터 울리고 있었다.

나는 두피 봉합을 마치고 환자의 동맥관과 정맥관을 뽑았다. 역시 검붉게 죽은 피가 흘러나왔지만, 곧 그쳤다. 역시 느리게 한 땀 정도로 마무리했다. 마침내 이 환자와 관련된 업무는 끝났다. 환자는 저승과 완벽히 연결되었고, 다시는 의료진을 찾지 않을 것이다. 이게 내가 면허를 받고 행한 첫 의술이었다. 나는 감상에 젖을 시간도 없이, 장갑을 벗어 던지고 병원에서 온 것이 분명한 부재중 번호로 전화를 걸었다. 병동이었다.

손을 씻고 병동에 올라가려는데, 아까 그 간호사가 소리쳐 불렀다.

"선생님, 여기 동맥 채혈이랑 비위관 삽입도 있어요. 다 해주고 가셔야죠."

동선상 그게 옳았으므로, 나는 채혈을 위해 주사기부터 집어들었다. 아까 그 할머니의 맞은편 침대였다. 가까이 가자 방금 죽은 할머니와 분위기가 흡사한 할머니가 누워 있었다. 얼굴은 달랐지만, 주렁주렁 매달린 관과 머리에 감긴 붕대와 퉁퉁 부은 몸으로 보아 비슷한 병력을 지닌 것 같았다. 다만 이 환자는 아직 죽지 않았을 뿐이다. 나는 채혈을 위해 환자의 손목을 찾았다. 의식이 없어 자꾸 움직이기 때문에, 환자의 손목은 리넨 끈으로 단단하게 묶여 있었다. 끈을 걷어내자 앞선 인턴이 동맥을 찔러 채혈한 자국이 검게 촘촘히 박혀 있었다. 수많은 검은 점들이 동맥의 주행을 따라 일렬로 보였다. 지나치게 많은 채혈로 환자의 손목 부위는 검은 점과 반대로 하얗게 썩어가는 듯했다. 여기에 하나의 구멍을 더 뚫어야 했다.

왼쪽 두번째와 세번째 손가락으로 손목 바깥쪽을 더듬거려 동맥을 짚고, 오른손에 쥔 얇은 주사기를 손목에 직각으로 꽂았다. 바늘이 손목 안으로 들어갔다. 하지만 동맥 채혈 역시 익숙하지 않았고, 중환자실에 오래 누워 있던 할머니의 혈관은 자꾸 숨어 바늘 끝을 비껴나갔다. 통증을 느끼는지 묶인 팔이 좌우로 출렁거렸다. 의식 없는 할머니의 표정이 격하게 일그러지고 있었다. 의사가 되어 처음으로 한 동맥 채혈은 자연스럽게 실패했다. 주사기를 뽑고 알코올 솜을 눌러 손목을 지혈하며 작게 심호흡을 했다. 방금 이 팔목에 의미 없는 구멍 하나를 보탠 것이다.

잠시 지혈되길 기다리는 동안 뒤편에서 방금 죽은 환자의 보호자들이 몰려와 곡을 하기 시작했다. 곡을 하는 방법은 아무도 가르쳐주지 않지만, 사람들이 슬픔을 표현하는 방식은 놀라울 정도로 흡사했다. 대체로 높은 음계와 비슷한 언어로, 10여 명의 중년 여성과 남성들은 각자 그들의 애통한 감정을 부르짖었다. 누가, 어떤 사람이, 어떤 방식으로 죽어도 남은 사람들은 이렇게 약속이나 한 듯이 곡을 할 것이다. 앞으로도, 또 그 앞으로도. 나는 방금 한 의료 행위로 인해 이 곡소리에 조금이나마 기여했다는 사실을 상기하며, 앞으로 다가올 참담한 미래를 잠시 그려보았다.

다시 주사기를 가져와 두번째로 동맥 채혈을 시도했다. 곡소리는 조금도 사그라들지 않았다. 그 소리는 하얗고 고독한 중환자실 배경과 아주 잘 어울렸다. 내가 지금 맡은, 아직 살아 있는 환자의 혈관은 이번에도 주사기를 비껴나갔다. 세번째 시도에서는 팔목 조직에 바늘을 꽂은 채 휘저어 간신히 동맥을 찾았다. 지혈을 마치고 솜을 떼자 내가 막 남긴 세 개의 구멍이 더해져, 손목에 박힌 검은 점이 한층 더 많아 보였다. 흡사 불길하게 피어난 검은 꽃 같았다.

동맥혈을 기계에 넣고 전산을 입력하자 어느덧 곡소리가 들리지 않았다. 나는 17번 침대로 돌아가보았다. 그녀가 누워 있던 자리는 이미 깨끗하게 정리되었고, 대신 막 세탁한 것으로 보이는 꺼끌하고 하얀 리넨이 깔려 있었다. 그 짧은 사이 아무런 일도 일어나지 않은 것 같았다. 문득 이곳의 침대들이 사람을 쥐도 새도 모르게 증발시키고 있다는 생각이 들었다. 그렇다면 이곳에 누워 있는 사람들은 죽은 자나 산 자나 별 차이가 없었다. 그것은 이 공간에 놓인 침대에서 증발되는 한 과정일 뿐이었다.

다음 일을 하기 위해 비위관 세트를 집었다. 사람의 한쪽 콧구멍에 새끼손가락 절반 두께의 튜브를 넣어 길게 위장까지 삽입하는 작업이었다. 이 줄을 통해 환자는 밥을 먹었다. 받아든 세트엔 낯선 남자의 이름과 열네 살이라는 나이가 적혀 있었다. 그것을 들고 환자에게 갔다. 환자의 두상은 누가 올바르게 맞추다 실패한 듯 울퉁불퉁했고, 몸에는 살이 한 점도 없어서 뼈 모양이 그대로 보였으며, 눈알에는 안연고가 너무 많이 발려 있어 눈이 통째로 뿌옇게 튀어나와 보였다.

방금 그 간호사가 내 옆에 섰다.

"이 아이, 쉽지 않을 거예요. 비위관을 너무 오래 낀데다 자주 빠져서 어제 인턴 선생님이 못하고 새로 온 인턴 선생님에게 맡기라고 했어요. 그래서 아이가 하루를 굶었어요. 이번에는 넣어야 해요."

인턴 일에는 분절이 없지만, 어제 인턴은 이미 1년간 이 생활을 경험했고, 나는 오늘 입사했다. 게다가 비위관을 오래 끼면 콧구멍 안쪽에서 염증이 엉기고, 그 엉킨 염증이 번져, 결국 구멍을 막고 조여 어떤 방식으로도 좀체 비위관이 들어가지 않는다. 나는 이 술기가

75

성공하기 어렵겠다는 생각이 들었다.

하지만 나는 첫 출근한 인턴이므로 무엇이든 해야 했다. 일단 튜브에 젤리를 가득 묻혀 아이의 왼쪽 콧구멍부터 쑤셨다. 아이는 말하거나 몸을 움직일 수 없었고, 통증에만 약간 반응했다. 호기 있게 들어간 튜브는 아이의 입으로 빼꼼히 삐져나왔다. 나는 튜브를 빼고 물었다.

"아이 병명이 뭔가요."

"열세 살 때 기형종 수정란 분화 과정에서 조직이 혼합되어 생긴 종양이 터졌어요."

기형종이 터져서 이 상태가 되었다면, 터지는 순간부터 지금까지 한결같은 상태였을 것이다. 보통은 도저히 생각할 수 없는 병이기에 미리 검사할 수도 없었을 것이다. 우연과도 같은 그 폭발 순간부터, 아이는 안연고가 범벅된 흐린 세상만 보아야 했을 것이다. 나는 다시 젤리를 잔뜩 묻혀 왼쪽 콧구멍을 쑤셨다. 아이의 근육이 미동도 없이 경직되었고, 왼쪽 눈알 위에 두껍게 발린 안연고 사이로 눈물이 조금씩 비집고 나와 흘렀다. 안연고가 조금 씻겨 아이의 눈동자가 드러났다. 아이의 눈은 1년간 한 번도 감기지 않아 하얀 부분이 조금도 없이 새빨간 색을 띠고 있었다.

예상대로 튜브는 잘 들어가지 않았다. 나는 아이에게 밥을 먹이겠다는 일념으로 좌우 콧구멍을 번갈아서 쑤셔댔다. 아이의 양쪽 눈에서는 눈물을 비 오듯 쏟아냈다. 통증을 느낀다기보다, 이런 반사작용밖에 남지 않았던 것이다. 그러니 이것은 이 아이에게 유일하게 남은 존재 증명인 셈이었다. 콧줄은 반복해서 막혀버리거나 입으로 튀어나왔고, 조금씩 벌어지는 입술 사이에선 지독한 악취가 났으며, 아이의 안연고는 전부 씻겨나가고 빨간 두 눈동자는 매섭게 허공을 노려

보고 있었다. 잔혹한 광경이었다. 나는 튜브를 통해 기형종 내부의 고독이 전해져오는 느낌을 받았다. 그리고 귓가에선 아이가 무언으로 울부짖는 소리가 들리는 듯했다.

어찌 되었건 지금 내겐 너무 어려운 시술이었다. 나는 포기하고 비위관 세트를 아무렇게나 던져두었다.

"다음에 와서 다시 하겠습니다."

간호사는 옆에 놓인 안연고를 집어들고 다시 빨간 눈동자에 두껍게 바르느라 내 말을 듣지 않는 것처럼 보였다. 돌아서서 나는, 내가 아니면 이 아이의 비위관을 삽입할 사람이 아무도 없다는 사실을 상기했다. 내가 삽입에 성공할 때까지 아이는 무한정 밥을 굶어야 할 것이다. 아이의 뼈만 남은 육신을 생각하니 벌써 어깨가 무거웠다. 나는 뻣뻣한 가운을 주워입고 병동으로 발걸음을 옮겼다.

처음 보는 병동 간호사도 나를 한눈에 알아보았다.

"새로 오신 선생님이시죠. 드레싱소독하고 붕대를 감음이 몇 개 있어요."

나는 도구들을 마구 집어들고 환자에게로 갔다. 첫 환자도 중환자실에 누워 있던 사람들과 크게 다르지 않았다. 다만 약간 안정되어 보였다. 내가 환자 옆에 서자, 병원 생활에 한없이 지쳐 보이는 보호자는 '새로 온 인턴이구나' 하는 표정으로 환자를 뒤집어주었다. 등뒤에 커다란 거즈가 붙어 있었다.

"이 양반은 욕창이 심해요."

거즈 뭉텅이를 떼어내자, 오래된 소독약과 섞인, 살 썩는 악취가 코에 밀어닥쳤다. 이윽고 살 안에 뭉쳐 있던 거즈까지 전부 뽑아내자, 적어도 몇 년은 묵었을 욕창이 고스란히 드러났다. 깊게 파인 구멍엔 검붉게 뭉개진 살덩이에 노란 고름이 군데군데 섞여 있었고, 그 가운데에 하얀 척추돌기가 고개를 내밀고 있었다. 운석이 떨어져 살더미를 파괴한 것처럼 보였다. 이 환자는 욕창을 얻은 것이 아니라, 살과 근육을 잃어버렸다는 표현이 맞을 것 같았다.

나는 커다란 솜뭉치에 빨간 소독약을 적셔 그 안을 필사적으로 박박 닦았다. 그는 내가 등뒤에서 살을 파내기라도 하는 것인 양 전신을 파닥거렸다. 중환자실 환자보다는 의식이 또렷한 편이었다. 둔탁한 자극이 이어지자, 그는 손발을 좁은 각도로 떨다가 쉴새없이 변을 보기 시작했다. 나는 장갑을 낀 채로 보호자에게 말했다.

"변을 보면 상처 감염 위험이 있으니 얼른 닦아주시겠어요?"

"죄송합니다. 이 양반이 최근에 변비가 심했는데……"

보호자는 준비하고 있었다는 듯 휴대용 기저귀로 끊임없이 흘러내리는 변을 받았다. 퀴퀴하고 고요한 병실에 묵은 변 냄새가 진동했다. 보호자는 마지막까지 변을 받아낸 뒤 항문을 훔쳐 닦았다. 나는 그곳 분화구에 소독된 거즈를 잔뜩 구겨넣고 테이프로 봉했다. 이제 당분간 변비 걱정은 없을 것이다.

이어서 세 개의 드레싱을 더 마친 뒤 병실에서 나와 컴퓨터를 서툴게 열어 다시 환자 명단을 확인했다. 컴퓨터는 그사이 내가 맡은 중환자실 환자가 한 명, 병동 환자가 두 명 늘었다고 말해주었다. 고개를 돌려 시계를 보니 처음으로 병원 근무를 시작한 지 이제 막 한 시간째였다. 나는 끝나지 않는 음모와 맞서 싸우는 느낌이었다. 또다시 주머니의 전화기가 울려대고 있었다. 문득 나를 둘러싼 하얀 벽이 갑자기 어둡고 검게 변해, 주위가 깜깜하게 암전되는 것 같았다.

하나뿐인
신장

응급실은 한가했다. 사람들은 평온하게 누워 있었고, 일은 잘 짜인 톱니바퀴처럼 맞물려 돌아갔다. 나는 서두르지 않고 응급실을 차분하게 정리해나갔다. 조금의 여유라도 있으면, 머릿속은 과학적으로 정확한 지점에서 정리를 해나간다. 환자나 보호자를 불러 그 내용을 천천히 설명하고, 그들이 들어야 하는 말과 해야 할 일을 짚어준다. 납득한 사람들이 자리로 돌아가면 나는 다른 일로 넘어가 다른 판단을 내린다. 전형적으로 순탄한 응급실 근무다.

나는 방금 찍은 20대 남성 복통 환자의 CT 사진을 한 컷 한 컷 공들여 보고 있었다. 급성충수돌기염충수돌기에 염증이 생기는 병. 일명 맹장염을 감별하기 위해 촬영한 복부 사진이었다. 전반적으로 복강 내부에 이상이 없나 관찰하고, 충수돌기를 찾아 염증이 있는지 찾아내면 된다. 응급실에는 복통 환자가 하루에 30명 정도 찾아온다. 그중 30~40퍼센트만 CT를 찍는다. 급성충수돌기염이 의심될 때, 복막염이나 장염이 심한 경우, 외상 또는 뭔가 느낌이 좋지 않을 때 주로 찍는다. CT 촬영을 하겠다는 설명이 끝나면 환자는 이런저런 동의서에 사인하고 수납을 한다. 곧 환자는 걸어서, 혹은 침대에 누운 채 그대로 고독한 통 안에 잠시 들어갔다 나온다. 그러면 잠시 뒤 CT 사진을 확인할 수 있다. 화면을 열어 손가락으로 마우스를 굴려 목적에 맞는 부분을 찾아 판독하고, 전반적으로 이상이 없나 확인한 뒤 환자나 보호자에게 그에 따른 설명을 하면 된다. 이 일을 오차 없이 열두 번 정도 하면 하루 근무가 끝난다.

나는 보고 있던 화면에서 기계적으로 충수돌기를 찾아냈다. 중환도 아니고, 그리 급할 것도 없어 손끝이 느긋했다. 찾아낸 충수돌기는 세 컷에 걸쳐 찍혀 있었다. 그 흑백사진 속에서 충수돌기는 염증은커녕 말랑말랑했다. 대신 주변에 장염이 조금 보였다. 복통은 일반적인 장염 때문이었고, 충수돌기염을 의심했던 첫번째 소견은 틀렸다. 하지만 괜찮았다. 충수돌기염을 의심해 CT를 찍었을 때, 실제로 충수돌기염인 경우는 30~50퍼센트 정도다. 만일 이 확률을 100퍼센트로 높이겠다고 애매한 경우 CT 사진 찍는 걸 생략한다면 그 와중에 놓친 진짜 충수돌기염 환자가 귀가해 충수돌기염이 복막염으로 번지는 일이 생길 수 있으므로, 의심되면 무조건 찍는 편이 안전하다. 그러니 이 오류는 과학적으로 꼭 필요한 것이다. 이제 나는 전혀 죄책감 없이 보호자를 불러 다행히 평범한 장염이니, 수술은 필요 없고 약을 먹고 잘 쉬면 된다고 말해주면 된다. 나는 이런 생각을 머릿속으로 정리하고 보호자를 손짓해 불렀다. 그리고 CT를 전반적으로 다시 한번 확인하다가 환자의 오른쪽 신장이 있어야 할 부분이 비어 있는 것을 알게 되었다. 휠을 몇 번 굴려봐도 마찬가지였다. 보호자가 옆에 와 있으니, 이 사항도 한번 확인해봐야겠다고 생각했다.

"보호자분 되시나요?"

"네, 엄마입니다. 결과가 어떤가요……"

"괜찮습니다. 다행히 충수돌기는 염증 없이 정상입니다. 그냥 장염이니 항생제만 먹고 쉬면 나아질 겁니다. 그런데 혹시 아드님한테 신장이 한 개뿐이라는 말 들어보신 적 있나요?"

"네? 처음 듣는데요? 그게 뭔가요? 괜찮은 건가요?"

수술 자국이나 병력이 없었으므로 예상한 바였다. 증상이 없는 소견이므로 모르고 있다가 우연히 발견되는 경우가 종종 있었다.

신장이 한 개인 사람은 750명 중 1명 정도 된다. 하루에 CT 사진 12개를 보니 내 경우엔 60일 근무할 때마다 한 명씩 보는 셈이다. 매일 근무하지는 않으니, 대략 1년에 세 명꼴이다. 그중엔 자기 신장이 하나인 걸 미리 알고 있던 사람도 있는지라, 이 진단을 처음 통보하는 일은 제법 드물다. 나는 언제 이 설명을 마지막으로 했던가 잠시 생각해봤으나, 그게 중요하지는 않다. 이제 알았으니 덧붙여 그 사항에 대해 조금 더 설명해주면 된다. 나는 머릿속으로 할 말을 정리하고 말문을 열었다.

"별것 아닙니다. 사람에겐 왼쪽과 오른쪽, 두 개의 신장이 있어요. 그런데 여기 보시면, 아드님에겐 왼쪽 신장뿐이고, 오른쪽 신장이 있어야 할 자리가 비어 있습니다. 이렇게 선천적으로 신장이 한 개인 사람이 있어요. 당장 건강에 문제는 없지만, 혹시 모르고 계실 수 있다는 생각에 알려드리는 겁니다."

"그러면 아이가 요새 배가 자주 아프고 스트레스도 쉽게 받는데, 그것 때문인가요?"

"아닙니다. 신장이 한 개인 것과 복통, 스트레스는 아무런 관련이 없습니다."

"근데 그건 왜 그렇게 된 건가요?"

"발생학적으로 누락되는 겁니다. 쉽게, 그냥 어떤 사람들은 그렇게 태어난다고 보시면 됩니다."

"도대체 몇 명한테나 생기는 일인데요?"

"대략 750명 중 한 명입니다."

"750명 중 한 명인데, 왜 하필 우리 아들인가요?"

"그런 사람들이 있습니다. 어떤 사람들은 불치병을 갖고 태어나듯이, 어떤 사람들은 그렇게 태어납니다."

"그러면 안 좋은 것 아닙니까?"

"좋을 것은 없지만, 평생 잘 살아가는 사람도 많습니다."

"남들보다 하나가 적은데, 그래도 괜찮은 건가요?"

"조금 나빠질 확률이 높다 뿐입니다. 하나라도 기능을 잘하면 괜찮습니다."

"확률, 확률이 나쁘잖아요. 그러다 하나가 나빠지면 결국 안 좋다는 거잖아요."

"뭐, 그런 상황이 되면 안 좋기야 하겠지요."

"하여간 그러면 결국 남들보단 나쁜 거 아닙니까. 왜 우리 아들이 그리 나쁘게 태어난 건가요. 낳을 때 제가 잘못해서 그런 건가요?"

"그런 것과는 전혀 관련이 없습니다. 여하튼 아드님의 신장이 왼쪽 하나뿐이고, 당장 치료나 검사 같은 건 필요 없다고 알아두시면 됩니다. 혹여나 나중에 한쪽 신장이 나빠진다거나, 만에 하나 다치기라도 하면 빨리 대처해야 합니다. 그런 상황이면 알고 계시는 게, 모르시는 것보다 나으니까요."

"뭐…… 네."

일단 보호자는 납득한 듯 보였다. 아니, 납득했다기보다는 내가 단순한 통보자 역할을 한 것이기에 크게 반박할 말이 없었으리라. 내가 신장을 하나 붙여주거나, 순탄한 삶을 보장해줄 수는 없는 일이니 더이상 묻는 것은 무의미하다. 그렇게 사람들은 다 하지 못한 수많은 말을 품고 내게서 돌아섰다.

사람들은 신장이 한 개뿐이라는 사실을 모른 채 평생 살 수도 있고, 그 때문에 기구한 일을 당해 막다른 골목에 처하기도 한다. 모른 채 살아간다면 나랑은 전혀 볼 일이 없을 것이고, 기구한 상황이 닥친다면 나를 다시 보게 될 것이다. 내 앞에 오는 사람은 그런 기구한 상황에 처한 경우가 대부분이므로, 증상 없이 우연히 발견된 한 개의 신장을 가진 이 아이는 미안스럽게도 내겐 아주 평온한 근무중에 볼 수 있는 일부분일 뿐이었다.

하지만 환자의 어머니는 건강한 아들의 신장이나 심장에 대해 생각해본 적도 없을 것이다. 자기 배 속에서 키웠지만, 자기 손으로 신장이나 심장 같은 것을 만들 수는 없다. 그 지점에서 어머니가 죄책감을 완벽히 떨쳐낼 수 있을까. 750분의 1에 해당하는 확률이라지만, 그녀는 다른 사람의 신장이 몇 개든 알 바가 아니다. 자기 아들에게 신장이 하나뿐이라는 그것만이 그녀에게 주어진 사실이다. 두 개의 신장으로 살아가는 다른 749명처럼 자기 아들도 신장이 두 개인 줄 알았지만, 이제부터는 신장이 하나인 삶을 살아야 한다. 그럼에도 신체에 별다른 영향을 미치지 않는다면 괜찮다고 말해야 하는 걸까? 아니면 삶에서 그게 어떤 의미가 있다고 말해줘야 하는 걸까. 그리고 나에겐 하루에 12개의 CT가 지나가고, 50~70퍼센트의 충수돌기에 염증이 없고, 749명에게는 당연히 신장 두 개가 관찰된다. 통보자인 나는, 이것을 불행한 표정으로 전해야 할까, 아니면 담담한 표정으로 전해야 할까.

나는 그 어머니를 다시 바라보았다. 이제 어머니는 자신도 방금 들어 납득하기 어려운 말을 어떻게든 꺼내야 했다. 그녀는 무엇인가 부자연스러운 모양새로 아들 앞에 서서 어물거렸다. 문득 그 뒷모습이, 평생을 홀로 지냈을 아이의 왼쪽 신장처럼 쓸쓸해 보였다.

산 채로 불탄
일곱 명의 사내

을씨년스러운 공단 지역 한편에서 제법 큰 폭발음이 났다. 길 가던 사람들은 놀라 제자리에 우뚝 멈춰 섰다. 곧 소리가 난 곳에서 불길이 일기 시작했다. 사람들은 막 일렁거리는 불길을 바라보았다. 화학 물질을 제조하는 공장이었다. 이제 구경꾼이 몰려들고, 요란한 사이렌을 울리는 거대한 소방차가 주위를 에워쌀 것이다. 그리고 소방관들이 다급하게 커다란 호스를 꺼내 굵은 물길을 내뿜으면, 화마는 금세 사그라질 것이다. 현장은 형체를 알아볼 수 없는 검게 탄 사물들로 어질러지고, 그 사이로 그을린 철골이 물방울을 뚝뚝 떨어뜨리며 서 있는 흉측한 몰골로 남을 것이다. 그러면 공장주는 보험 회사로부터 보상금을 받아 복구하면 될 것이라고, 구경꾼들은 생각했다.

하지만 이 폭발은 그런 식으로 설명될 수 없었다. 그 폭발을 바로 옆에서 지켜본 사람들이 있었기 때문이다. 그것도 한두 명이 아닌, 일곱 명이 그 자리에 있었다. 이들은 그 폭발을 예견할 수 없었으므로 그 자리에 그대로 서 있었다. 그들은 굉음을 듣자마자 반사적으로 거대한 기계로 시선을 돌렸으나, 고개가 채 돌아가기도 전에 눈을 찌르는 열기와 몸을 구겨버릴 것 같은 압력을 느꼈다. 폭발은 공장 안의 공기를 몽땅 머금었다가 찰나에 내뿜어, 그들 일곱의 육체는 종잇장처럼 날아가버렸다. 이 순간은 앞으로의 인생을 집어삼킬 것이 분명했다. 통증은 그 찰나를 지나서야 느껴지기 시작했다. 하지만 그 순서는, 그들에게 크게 중요하지 않았다. 그 자리에 있었다는 사실 자체가 이미 그들에겐 너무 치명적이었으니까.

나는 심상치 않은 하루를 보내고 있었다. 이곳에서는 터무니없는 일이 너무 자주 일어나서, 원래 세상 일이란 인간들의 육신이 이토록 부서지고 시들어가는 과정 아닐까 하는 착각이 들기도 했다. 그래서 나는 매번 인간 세상에서 벌어지는 불행의 변주를 의연하게 눈 하나 깜빡하지 않고 받아들이곤 했다. 하지만 오늘은 조금 유난한 날이었다. 한 시간 동안에 머리가 깨진 사람 세 명이 연달아 실려왔다. 한 명은 즉사해버렸고, 다른 한 명은 중환자실에서 살아날 것 같았고, 나머지 한 명은 이제 생사를 결정할 수술실로 밀어넣으려던 참이었다. 흔한 일이 아니지만, 하루쯤은 이런 일이 벌어질 수도 있겠다고 생각했다. 그때 복부에 칼을 맞은 마른 남자 하나가 배를 부여잡고 들어왔다. 다행히 상처는 한 개뿐이었다. 칼 한 방에 사람이 즉사하는 것은 흔치 않은 일이지만 복부 정가운데였고, 손가락으로 확인한 깊이마저 불길했다. 곧 그의 몸에 들어온 칼은 하필 상장간동맥을 완전히 끊어버렸다는 것이 밝혀졌다. 그래서 의식과 핏기를 순식간에 잃어가던 그는 수술방 근처에도 가보지 못한 채 피로 가득 차서 부른 배를 남기고 죽어버렸다.

이 과정을 끝내고 나오자 손가락 두 개가 끊어진 한 남자가, 진료가 늦어진다는 이유로 남은 세 손가락을 모아 삿대질을 하고 있었다. 절단된 네번째와 다섯번째 손가락의 시뻘건 말단에서 선지피가 뭉텅이로 쏟아져 응급실 바닥에 흩뿌려졌다. 나는 황급히 그가 가져온 손가락 두 개를 얼음통에서 꺼내 그 빈자리에 맞추어보았다. 이을 수 있을 것 같았다. 하지만 응급수술방에서는 머리를 열고 있어, 그는 붕대를 싸매고 다른 병원으로 가야 했다. 그는 성한 손으로 자신의 손가락 두 개가 든 봉지를 들고 응급실 바깥으로 나가면서, 남은 세 손가락으로 다시 내게 삿대질을 하며 말했다.

"이 손가락을 못 쓰게 되면, 네 얼굴을 기억했다가 다시 찾아와서 죽여버릴 거야."

증오받는 느낌은 힘겨웠다. 하지만 저마다의 이유로 고통을 호소하는 서른 명의 환자는 각자 침대에서 평온히 구르고 있었다. 방금의 잔상을 지우려고 새로 온 복통 환자에게 붙어 짐짓 침착한 표정으로 진찰을 시작했다. 그때 저편에서 이상한, 너무 이상한 느낌이 들어 견딜 수 없는 카트 세 개가 연이어 굴러들어왔다. 매캐하고, 무엇인가 함부로 태워버린 것 같은 냄새가 응급실에 가득 찼다. 순식간에 화재 현장이 된 것 같았다. 나는 앞 환자에게 양해를 구하고 응급실 입구로 달려갔다. 좁은 카트에는 나신의 사내가 누워 있었다. 그는 형체를 알아볼 수 없을 정도로 시커멓게 불타 있었고, 손과 발을 허공에 뻗은 기묘한 자세로 극심하게 떨고 있었다. 피부에 타다 만 섬유가 조금 붙어 있어, 그가 원래는 옷을 입은 채였음을 알 수 있었다. 뒤에 있는 두 개의 카트에는 앞선 사내와 구분되지 않는, 똑같은 자세의, 똑같이 불에 탄 사내가 하나씩 실려 있었다. 이건 도저히 한번에 감당할 수 없었다. 나는 맨 앞의 구급대원에게 소리쳤다.

"이런 전신중증화상 환자가 한 명만 와도 이 응급실이 통째로 마비되는 것 모르십니까! 처음부터 환자를 나눠서 왔어야죠! 뒤에 있는 두 분은 다른 병원으로 가야 합니다, 지금 당장."

그을음으로 범벅이 된 옷에, 지옥이라도 보고 온 듯한 눈빛의 대원은 기다렸다는 듯이 내게 더 큰소리로 소리쳤다.

"일곱 명! 폭발 현장에 이런 사람이 일곱 명이나 나뒹굴고 있었습니다! 네 명은 다른 병원에 가고 세 명만 여기로 데려온 거란 말입니다!"

그 순간 나는 생각했다. '지금 이 도시에 재앙이 도래했구나. 이제 이 도시에 있는 모든 응급실은 통째로 마비될 것이다. 하지만 이 소동은 그 자리에 있던 일곱 명이 당한 일에 비하면 미약할 것이다. 나는 이제 지옥의 틈바구니로 들어가야 한다.' 나는 고분고분해진 목소리로 대답했다.

"들어오세요, 전부 다. 여기 나란히 눕히세요."

집중치료실에 마련할 수 있는 자리는 세 자리였다. 그래서 혼자 집중치료실에 누워 있던 패혈증 할머니는 자리를 양보해야 했다. 의식이 없던 할머니는 급히 끌려 나갔고, 카트 세 개가 연이어 처치실로 들어왔다. 응급실에 있던 모든 의료진과, 현장의 그을음과 열기를 품고 온 구급대원 대여섯 명과, 도저히 인간의 형상이라고 부르기 어려운 사내 셋은 집중치료실에 들어와 엉겨붙기 시작했다. 카트를 밀고 들어오는 구급대원들의 표정이 이지러져 있었다. 아직 불길이 채 꺼지지 않은 잿더미에서 형체를 잃고 저마다 나뒹굴며 신음하던 일곱 명의 사내, 그 아비규환의 광경을 멍하니 바라볼 틈도 없이 그들은 한 명씩 들쳐메고 달렸을 것이다.

의료진은 가운을 벗어 던지고 사내들을 한 명씩 침대로 옮기기 시작했다. 검은 형체의 자세는 너무나 흡사했다. 화상을 입은 부위는 스치기만 해도 대단히 고통스럽다. 전신에 극심한 화상을 입었으니 오죽하랴. 하지만 인간은 어딘가에 체중을 지탱하지 않고 떠 있을 수 없다. 그렇다면 본능적으로 최대한 전신에 아무것도 닿지 않는 자세를 취해야 한다. 그래서 그들은 등을 침대 바닥에 대고, 팔을 앞으로 나란히 뻗으며, 무릎을 접은 채 두 다리를 엉거주춤하게 들고, 목을 뻣뻣하게 허공으로 숙인 자세를 취하고 있었다. 이 자세로도 막을 수 없는 등판의 극심한 통증으로 그들은 저마다 나직이 신음 소리를 뱉어냈다. 게다가 그들은 넘실거리는 불길 속에서 막 나왔지만, 불길은 피부를 태워 그들의 체액을 날려버렸고, 이제 전신의 연부 조직이 드러나 체온까지 급강하하고 있었다. 그들은 극심한 추위에 시달리며 허공에 뻗은 팔다리를 사시나무 떨듯 떨었다. 의료진의 손길이 벗겨진 피부에 닿자, 그들은 차례로 단말마의 비명을 내지르며 병원 침대로 옮겨졌다.

세 사람이 나란히 눕자 집중치료실은 지옥을 그대로 옮겨놓은 것 같았다. 그들의 전신에서는 아직도 매캐한 연기가 피어오르고, 살갗을 숯덩이처럼 굽는 냄새가 코를 찔렀으며, 고통받는 인간의 떨림으로 침대 바퀴는 삐거덕거렸다. 장갑을 낀 의료진은 그 사이에 서서 난생처음 접하는 잔인한 광경과 당혹스러움에 무엇을 먼저 해야 할지 몰라 내 입만 바라보았다. 나는 폭발이 인간을 직접적으로 태워버리는 순간과, 의학에서 언급하는 복잡한 계산식과, 인간의 생명을 앞에 둔 본능이 엉켜 미쳐버릴 것 같았다. 순간 어디선가 내려온 섬광이, 내 입을 대신 열어 말하기 시작했다.

"일단 기도 유지 세 세트, 수액 공급용 중심정맥관도 세 세트 준비. 병원에 있는 링거스 락테이트화상 치료에 사용하는 수액 수량 파악해서 전부 가져다놓으세요. 환자 한 명에게 시간당 2리터 넘게 들어가야 합니다. 포터블이동식 엑스레이도 당장 불러요. 그리고 항생제, 파상풍 주사를 준비해주시고요. 나머지는 따뜻한 물을 양동이로 퍼다가, 이 사람들 전신을 비눗물로 닦아 오염을 제거하고 화상 연고를 발라 드레싱합니다."

내 말이 끝나자마자 의료진은 각자 맡은 일을 하기 위해 흩어졌다. 이제 내가 해야 할 일만 남았다. 이들을 면밀히 진찰하고 손상을 파악해서 목숨을 붙들어야 했다, 무조건.

나는 첫번째 환자 옆에서 계산하기 시작했다. 중심정맥관이 오기까지 1분쯤 걸린다. 그 안에 환자를 대략적으로 파악하고, 중심정맥관 세 개가 오면 한 환자당 2분 만에 전부 삽입한다. 완료되면 호흡과 체액량을 확인하며 최대한 빨리 전신화상 처치를 마무리한다. 환자가 이송을 견딜 만큼 안정적인 상황이 되면 전문적인 처치를 받을 수 있는 화상 전문병원으로 이송한다. 이런 계산과 동시에 머릿속에서 시계가 째각거렸다. 나는 앞에 놓인 환자를 자세히 뜯어보면서 말을 걸었다.

"괜찮아요?"

"죽…… 죽겠어요."

다행이었다. 말을 하는 것으로 보아 기도는 얼추 확보되었고, 대답이 적절했으니 의식은 명료했다. 방금 그 말을 한 사람의 얼굴을 바라보니 머리털이 전부 타서 하나도 없었다. 대신 녹아내린 단백질 덩어리가 타버린 두피에 군데군데 묻어 있었다. 얼굴도 마찬가지로 검게 그을려 있었다. 단순히 검댕이 묻어 있는 것과는 완연히 달랐다. 가죽이 전부 불타고 살이 익어 희멀건 색을 띠었고, 그 위에 검게 타버린 살갗의 잔해가 지저분하게 묻어 있었다. 또한 얼굴형 자체가 확연히 쪼그라들어 두개골과 비슷한 모습을 띠고 있었다. 그 검은 두개골이 눈을 떴다. 눈알은 익어서 혼탁한 빛이었다. 다행히 시력은 남아 있는 것 같았다. 나는 익어서 경계가 거의 없어진 그의 입술 사이에 손을 넣어 입을 연 뒤 머리를 박고 입안을 확인했다. 역시 그 안은, 누가 함부로 불길을 집어넣어 익힌 것처럼 녹아 있었다.

나는 몸통으로 시선을 돌렸다. 전신의 상태 또한 얼굴과 다르지 않았다. 추위와 통증으로 덜덜 떨고 있는 사지와 몸통은 정말 성한 곳이 한 군데도 없었다. 폭발이 일어난 순간부터 그들의 옷가지와 육체는 동시에 불타오르기 시작했을 것이다. 그리고 한동안 그 불길은 전신의 겉면을 사정없이 구웠을 것이다. 나는 잠시 불길과 인간의 몸이 만나는 장면을 떠올렸다. 왜 이 사람들은 그 자리에 있어야만 했을까. 왜 어떤 불길은 아무도 없는 허공에서 불타오르지 않고, 인간의 육체를 집어삼키곤 이렇게 비참한 존재를 내뱉는 것일까. 나는 그런 생각을 하면서 그의 불타버린 흉부에 청진기를 댔다. 호흡음은 당연히 거칠었다. 원칙상 기도를 인위적으로 확보하고, 의식을 지속적으로 확인하기 위해 일단 마취제로 재워야겠지만, 모두 자가호흡으로 놔두기로 했다. 그외는 더 확인할 것도 없었다. 손끝부터 발끝까지, 세 명의 상태는 전부 동일했으며, 얼굴조차 전혀 구분할 수 없었다. 마지막으로 그들의 홀랑 타버린 음모와 검게 그을려 쪼그라든 성기가 눈에 띄었다. 그 장면은 화마가 인체의 가장 존엄한 곳까지 짓밟아버렸다는 상징처럼 느껴졌다.

곧 따뜻한 물을 담은 양동이가 급하게 미끄러져 들어왔고, 이어서 중심정맥관 카트 세 개와 수액 더미가 방으로 들어왔다. 나는 바로 청진기를 집어 던지고 카트를 내 앞으로 재빨리 끌고 와 다급한 손길로 주사기를 집어들었다. 인턴 둘은 옆 사내의 다리부터 붙들고 거즈에 물을 적셔 전신의 그을음을 닦아내기 시작했다. 나는 관을 삽입해야 할 불타버린 어깨에 소독약을 마구 문질렀다. 환자는 이미 너무 고통스러운지라 추가된 자극에 조금 비틀거리며 신음을 냈다. 옆남자는 거즈가 닿아 피부가 벗겨져나갈 때마다 새된 비명을 질렀다. 모든 것이 불가항력적이라 더 끔찍했다. 나는 어깨 밑으로 굵은 주사기를 급히 박았다. 살이 익어버렸기 때문에 평소 생살을 꿰뚫을 때보다 훨씬 뻑뻑한 느낌이 전해졌다. 인체를 다루는 느낌이라기에는 너무 낯설어, 어쩌면 이미 인체의 영역을 넘어갔다는 생각까지 들었다. 등줄기가 서늘해졌다. 온 정신을 집중한 탓인지 관은 한 방에 꽂혔다. 그것이 비명 속에서 무아지경으로 세 번 반복되었다. 5분. 평소보다 약간 빠른 시간이었다.

"모르핀 5밀리리터 주고, 수액을 최대한으로 공급합니다. 특별한 지시가 있을 때까지 계속. 그리고 소변량도 체크하고, 지속적으로 잘 들어가는지 확인해야 합니다. 수액이 몇 분만 안 들어가도 환자는 죽어버릴 겁니다."

그런 뒤 직접적인 화상 처치에 매달리기 시작했다. 방금 내린 지시로 인턴 한 명은 환자의 검게 탄 성기를 손에 쥔 채 소변줄을 꽂고 있었고, 나머지 인턴들은 땀을 뻘뻘 흘리며 비눗물로 환자의 전신을 닦아내고 있었다. 피부가 어느 정도 깔끔해지면 그 위에 화상 연고를 빈틈없이 펴바르고 붕대로 감아야 했다. 화상 연고를 바를 때는 워낙 위생 유지가 중요해 설압자로 떠서 조금씩 바르지만, 이번에는 모두 맨손으로 한 움큼씩 퍼서 피부에 처덕이며 발랐다. 그러지 않으면 이 작업을 하느라 밤을 새워야 할 것 같았다. 그럼에도 고통에 몸부림치는 세 사람의 전신을 연고로 뒤덮는 작업은 매우 더디게 진행됐다. 양동이로 물을 퍼서 전신을 닦자 침대는 당연히 물바다가 되었고, 검게 탄 피부 찌꺼기와 그을음이 물웅덩이에 같이 고여 침대 위와 치료실 바닥이 매우 지저분해졌다. 의료진의 옷가지도 쉴새없이 튀는 물에, 그을음과 피부에서 흐른 진물과 비눗물까지 뒤섞여 삽시간에 더러워졌다. 물은 환자의 건조한 피부 위에서 금방 말라, 검은 형체들은 지속되는 저체온에 몸을 심하게 떨며 피부가 떨어져나가는 듯한 고통을 부르짖었다. 흡사 지옥으로 떨어진 사내들과 그들을 고문하는 자들 같았다.

밖에 다른 환자 서른 명이 방치되고 있음에도 도저히 작업이 끝날 것 같지 않았다. 나는 이대로 두면 위험하다는 생각이 들어 차지 간호사에게 외쳤다.

"병원에 지금 일 없는 인턴 전부 응급실로 소집 방송 내주세요."

간호사는 고개를 크게 끄덕이고 밖으로 뛰어나갔다. 곧 병원 내 방송이 시작되었다.

"지금 쉬고 있는 모든 인턴 선생님들은 즉시 응급실로 내려와주시기 바랍니다. 반복합니다. 지금 쉬고 있는 모든 인턴 선생님들은 즉시 응급실로 내려와주시기 바랍니다."

대체로 응급의학과 인턴의 업무는 타과 인턴의 업무보다 압도적으로 많다. 하지만 타과 인턴은 비는 시간에 응급실로 내려가서 응급의학과 인턴을 돕지 않는다. 각자의 업무만 수행하는 것이 전체적으로 훨씬 안정적이기 때문이다. 그래서 이런 방송을 하는 일은 극히 드물었다. 휴게실에 있던 인턴들은, 항상 혼잡하지만 그래도 그 인원으로 언제나 그럭저럭 돌아가는 응급실을 떠올리며 고개를 갸우뚱했다. '도대체 무슨 일이 벌어지고 있기에……' 급히 달려와 집중치료실 문을 벌컥 열고 들어온 그들은 모든 상황을 이해할 수 있었다. 그들은 이 광경을 보고 즉시 비슷한 높이의 신음을 내뱉었다. 그것은 그들의 짧은 병원 생활로는 한 번도 경험해보지 못한 광경이었을 테고, 앞으로도 이런 광경을 다시 경험하기는 힘들 것이었다.

그들은 즉시 가운을 내던지고 이들에게 달라붙었다. 인원이 늘어난 덕분에 일이 빨리 진척되었다. 그들의 익어버린 피부는 급하고 투박한 손길에 벗겨져나갔고, 점차 하얀 거즈 다발로 덮여 붕대로 감싸졌다. 나는 작업을 진행하며 끊임없이 그들의 의식과 호흡을 관찰해야 했고, 그 때문에 계속 환자에게 말을 걸었다.

"괜찮아요. 살 수 있어요. 환자분, 대답해요."

"으, 아파요…… 으으……"

"환자분!"

"너무 아파요…… 으으으…… 절 죽이세요……"

가운데 남자가 말했다. 우리는 책날에 손이 베여도, 속이 더부룩해도 아프다고 말한다. 그리고 별안간 운명이 자신의 전신을 불로 지져도 아프다고 말할 수밖에 없다. 서로 다른 언어 세계에서 온 것 같은 '아프다'라는 단어. 온몸이 검게 불타버린 사람이 내뱉은 말은 고작 "아파요"가 다였다. 그러나 자신이 너무 아프다는 것을 깨닫고 나면, 그리고 평생 이렇게 '아플' 것임을 알아차릴 정도로 사리분별이 되면, 당연히 죽고 싶을 것이다. '절 죽이세요……' 안 돼, 그딴 생각은 안돼. 나는 소리쳤다.

"안 돼요. 이 처치만 끝나면 진짜, 조금 편해져요. 살아야 합니다. 모르핀, 여기 모르핀 2밀리리터 추가로 슈팅."

"으으……"

그의 눈물샘이 덜 탔는지, 눈물이 그의 타버린 눈동자에서 흘러내려 엉망진창인 물웅덩이에 섞였다.

처치는 오래도록 급박했다. 일단 허공에 떠 있는 팔과 다리의 처치를 마무리해 붕대로 동여매고, 배와 골반과 옆구리를 닦은 후, 환자가 통증으로 소리 지르는 것을 무시하고 그 자세 그대로 옆으로 뉘어 등을 처치한 다음 몸통에 붕대를 감는 것이 순서였다. 이 과정에서 저체온으로 사망할 수도 있으므로 물을 붓는 즉시 닦아야 했고, 작업 시간도 줄여야 했다. 하지만 환자가 손과 발을 뻗은 자세로 손만 닿아도 몸부림치는데다가 현장이 지저분하고 범위가 넓어 작업이 어려웠다. 아무리 붕대를 감아도 세 사람의 자세는 변함없이 기괴했고, 여전히 침대의 위치만 다를 뿐 개개인의 형상으로는 이들을 구분할 수가 없었다.

10여 명이 눈에 불을 켜고 비슷한 작업을 반복하자, 환자의 벗겨진 피부는 어느 정도 가려졌다. 그럼에도 환자들의 자세는 손발을 뻗은 그대로 한치도 변하지 않았다. 극심한 고통은 그들에게서 조금도 달아나지 않고, 그대로 그들의 전신을 조이고 있었다.

나는 환자의 복부를 마지막으로 조심스럽게 소독했다. 옆 환자들도 얼추 처치가 끝나가고 있었다. 이대로만 가면 조금 정리될 것 같았다. 그 순간, 내 눈앞에 있는 환자의 팔다리 각도가 눈에 띄게 변하기 시작했다. 팔이 스르르 떨어지고, 다리도 점차 힘이 풀려 아무렇게나 뻗어갔다. 나는 반사적으로 환자의 눈알을 보았다. 눈동자가 익어 알아볼 수가 없었다. 나는 손바닥으로 환자를 힘껏 후려쳤다.

"환자분! 정신 차리세요!"

대답이 없었다. 이런 극심한 통증의 반사가 없어지고 있는데, 의식이 있을 리 없었다. 나는 본능적으로 그의 입과 흉곽을 확인했다. 거칠고 불규칙해서, 곧 호흡이 멎어버릴 것 같았다. 결국 그는 고통으로부터 해방되기 위해 죽음으로 뚜벅뚜벅 걸어가고 있었다. 아까, 자신을 죽여달라던 남자였다.

"삽관!"

나는 이미 머리맡에 준비해두었던 삽관 도구를 그의 입에 거칠게 밀어넣었다. 악관절이 익어 잘 벌어지지 않았다. 반복된 처치로 손아귀에 힘이 풀린 상태였지만, 젖 먹던 힘까지 모아 입안을 벌려보았다. 입안이 익어 피가 줄줄 흐르고 있었다. 설핏 보이는 기도 입구가 익어 분홍빛이 아닌, 죽은 허연빛을 띠었다. 달려온 간호사가 튜브를 건넸다. 그것을 받아 힘껏 기도로 쑤셔박았다. 기도가 질겨 빨려들어가는 느낌이 거칠었다. 확인한 호흡음도 거칠었지만, 삽관에 성공했다.

고개를 돌려 매달린 수액을 보니 사정없이 잘 떨어지고 있었다. 그러나 모니터에서는 혈압과 맥이 급강하하고 있었다. 쇼크다. 원인은? 원인? 순간 나는 원인이라고 할 만한 것이 없다는 사실을 깨달았다. 남성, 40대, 100퍼센트 3도 화상, 흡입 손상 동반. ABSI화상생존율공식 스코어 15점. 생존율 10퍼센트 미만. 그러니 이 사람들은 전부 현장에서 죽든 지금 내 눈앞에서 죽든, 내일 죽든 조만간 죽든, 전혀 이상하지 않았다. 원인은 재난이 도래한 폭발 현장과 그 순간에 오롯이 있었다. 나는 정신이 번쩍 들었다. 당장 원인이랄 것도 없이 다 죽을 수 있다. 그러나 인체가 버틸 수 없는 지점이 분명 존재하는 것이 사실일지언정, 내가 방금 전까지 살갗을 어루만지던 사람이 눈앞에서 떠나가고, 내가 그의 마지막을 직접 선고해야 하는 운명이 도래하고 있다. 이렇게 생각하는 동안, 가운데 남자는 손과 발을 편안하게 풀고 아무렇게나 누워버렸다. 심정지였다.

"CPR!"

붕대를 자르던 옆 침대의 인턴이 가위를 허공에 던지고 환자의 흉부로 달려들었다. 환자의 흉부는 아직 붕대로 감싸져 있지 않고 검게 탄 그대로였다. 인턴이 그의 심장을 있는 힘껏 누르자, 검댕이 마구 묻어나와 깍지 낀 손을 범벅으로 만들고, 익어버린 살이 아무렇게나 흩어지기 시작했다. 환자의 혼탁한 눈알이 허공을 향한 채 힘없이 흔들렸다. 나는 엠부^{수동 인공호흡기}를 붙들어 짜며 생각했다. 같은 자리에서 같이 불탄 사람의 생사를 결정짓는 것은 무엇인가. 단순한 운인가, 아니면 생에 관한 의지인가. 그것도 아니라면 그냥 결정된 죽음의 순서인가. 나는 고개를 돌려 방금 전까지 그의 직장 동료였을 옆사람을 보았다. 그들은 아직까지 뻣뻣한 고개를 허공에서 약간 돌려 자신의 동료가 죽어가는 모습을 보고 있었다. 통증이 지독한 탓인지, 아니면 얼굴이 완전히 망가져서 그런지, 그 얼굴에서는 슬픔이 좀처럼 느껴지지 않았다. 하지만 그들의 눈에서도 분명 눈물이라고 부를 것이 흘러 웅덩이에 섞이고 있었다. 아마 아득한 통증 속에서, 그 처절한 최후를 바라보며, 번뜩번뜩 자신의 죽음을 예감하고 있을 것이었다.

그것은 매우 기괴한 장면이었다. 숯처럼 익어버린 형체를 하나 두고, 사람들은 검댕을 묻혀가며 돌아가면서 그를 짓눌렀다. 그것은 마치 인간이 아닌 것에 인간들이 위해를 가하는 장면 같았다. 이 과정에서 그가 삶으로 돌아올 가능성이 있다면, 그리고 그것이 운명처럼 시간을 되돌려 폭발 직전으로까지 갈 수 있다면, 사람들은 더욱 울분을 토해가며 그를 짓눌렀을 것이다. 하지만 그가 기적처럼 생을 다시 찾는다 해도 그의 영혼은 필연적으로 불타서 익어버린 육체로 돌아가야 했다. 우리는 그것을 다 알았다. 그러니 우린 고작 그에게 그런 일을 권하고 있었던 걸까.

"절 죽이세요……"

그의 마지막 말이 모두의 뇌리에서 떠나지 않았다. 소생술이 길어질수록 우리는 우리가 그를 죽이고 있는 것인지, 아니면 그가 스스로를 죽여가고 있는지 분간할 수 없었다.

그는 이 육신을 더이상 사용하기 싫다는 듯, 세상으로 돌아오지 않았다. 나는 그를 포기하고 공식적으로 사망을 선고했다. 그러자 모두 허탈감에 그를 보며 멍하니 서 있었다. 의료진의 손바닥은 그의 살점과 그을음으로 뒤죽박죽이었다. 그의 흉부는 뼈가 드러날 정도로 벗겨지고 흩어져 있었고, 사지의 붕대는 흐트러져 엉망진창이었다. 그것은 마치 함부로 다뤄진 미라 같았다. 그는 이제 하얗고 평평한 리넨 한 장만 덮으면 충분했으므로, 복잡한 붕대 감기나 다른 처치는 더이상 필요없었다. 인턴 하나가 그의 몸에 감긴 붕대를 모조리 끊어 쓰레기통에 던졌다. 하얀 리넨 한 장이 즉시 그의 몸 위에 덮였고, 간호사는 그의 생전 이름을 출력해서 그 위에 테이프로 아무렇게나 붙였다.

집중치료실에는 이제 시체 한 구와 사람 두 명이 누워 있었다. 사람 두 명은 사람 한 명이 시체로 변하는 동안 진통제 기운이 돌았는지, 아니면 지독한 고통이 너무 오래 계속되어 지겨웠는지, 다리와 팔을 약간 편하게 내리고 있었다. 하지만 그 모습에서 죽음을 앞둔 긴장감이 빠져나가지는 않았다. 나는 옆에 서서 그들의 모습과 생체 징후를 면밀히 바라보았다. 전신과 얼굴까지 빠짐없이 붕대가 감겨 있고, 유일하게 감정을 판별할 수 있는 눈알이 익어 그들의 심경을 잘 짐작할 수 없었다. 아니, 너무 짧은 시간에 너무 많은 것을 잃은 그들의 감정을 내가 함부로 이해할 수 없다는 표현이 맞을 것 같았다. 그들에게 물었다.

"괜찮으세요?"

"으…… 으으…… 으으으……"

아프다는 뜻일까, 자신의 동료가 죽어 슬프다는 뜻일까, 아니면 자신에게 찾아올지도 모를 죽음이 두렵다는 뜻일까. 그리고 처음부터 그 광경을 지켜본 나는, 그들이 그날 전 지구에서 가장 불행해지는 꼴을 보면서, 괜찮으냐는 말 따위를 건네야 했을까. 세상에는 자신의 말이 쓸모없음을 깨닫고도 꼭 그 말을 해야 하는 멍청이가 있다. 그것이 그날의 나였다. 나는 더이상 그들에게서 어떠한 말도 전해들을 수 없었다. 실은 그들의 대답이 두려웠을지도 모른다. 다행히 남은 둘의 생체 징후는 나름대로 안정을 찾아가고 있었다. 그리고 얼마 후 화상 전문병원에서 차가 도착했다.

중증화상으로 병원에서 죽는 경우, 25퍼센트는 급성기에, 나머지 75퍼센트는 회복되는 과정에서 죽는다. 사람을 불에 구웠는데, 당장 안 죽었으니 앞으로도 안 죽을 거라고 생각하면 큰 오산이라는 뜻이다. 피부는 엄연히 인체의 가장 크고 넓은 기관이며, 외부로부터의 자극을 막는 등 많은 일을 맡고 있다. 그것이 전부 익었다면, 전신에서 염증이 생기고, 진물이 나고, 더불어 감염이 생기고, 기타 다른 기관과 연계된 합병증이 생길 것이다. 그렇다면 방금 전과 같이 한번에 죽는 것이다. 그 과정에서 통증은 한시도 쉬지 않고 찾아올 것이고, 환자는 지독한 고통과 자신의 몸이 파괴되었다는 절망감에 죽음에

이를 것 같은 우울을 느낄 것이다. 이것만으로도 사람은 가볍게 죽어버릴 수 있다. 이걸 전부 기적적으로 견뎌낸다면, 그들은 도저히 그전의 자신이라고는 생각할 수 없을 만큼 추한 몰골에, 혼자선 아무런 일도 할 수 없는 사내를 마주할 것이다. 이를 내가 알고 있음에도, 과연 그들을 살려보낸 것이라고 말할 수 있을까.

결국 그들은 전문병원으로 옮겨갔다. 두 명은 떠났고, 이제 한 명만이 내게 남은 셈이었다. 하지만 그 한 명도 곧 내게서 떠나 옆 건물 장례식장에 누웠다. 가족들이 그를 마저 태워 화장할지, 아니면 그대로 묻을지는 알 수 없었다. 살아남은 두 명도 동료를 따라가 다른 장례식장에 누울 가능성이 매우 높았지만, 적어도 내 앞에서 죽지는 않았다. 그것이 내게서 죄책감이 덜어질 일이었는지, 아니면 세 명이 최소한 내 눈앞에서 살아서 나갔다면 나는 이 유난한 하루를 격려할 수 있을지, 아무것도 판단할 수 없었다.

내가 본 것이 유일한 사망자라 가정하면, 내일 신문기사에는 이 도시에서 벌어진 재난으로 한 명이 사망하고 여섯 명이 부상을 입었다고 실릴 것이다. 하지만 살아남은 자들이 옮겨 간 병원에서 우울증에 빠지고 삶을 포기하며 전신에서 진물을 흘리다가, 신부전이나 다발성장기부전이 찾아와 결국 사망하더라도 신문엔 관련 기사가 한 줄도 나오지 않을 것이다. 그때쯤이면 또다른 인간의 고통이 사람들의 마음을 잡아끌 것이 분명할 테니까.

나는 마지막 정리까지 마치고 집중치료실에서 나왔다. 그간 방치된 서른 명과 그동안 새로 찾아온 십수 명이 나와 내 지저분한 옷가지를 고통 어린 눈길로 쏘아보았다. 그 시선에 온몸이 불타는 것 같은 느낌이 들었다. 나는 산처럼 쌓인 그들의 차트를 한 움큼 집어들었다. 어서 이 고통들을 물리치고, 유난한 하루를 끝내버리고 싶다는 생각뿐이었다.

그들이 사는
세상

예보도 없이 급작스럽게, 천둥소리와 함께 온 세상을 흠뻑 적셔버리듯 대단한 비가 내리던 날이었다. 늘 냉방이 서늘하게 유지되는 응급실의 공기마저 축축한 기운이 느껴질 정도였다.

환자들도 그날은 조금 습기 어린 상태로 병원에 들어섰다. 그리고 평범한 환자들 사이로, 그 특별한 환자가 들어왔다. 그녀는 벼락을 맞았다고 했다. 그것도 직격으로 혼자서. 우리는 그 확률을 180만 분의 1이라고 계산한다. 여간해서는 염두에 두거나 생각하며 살 수 없는 확률이다.

응급실에서 일하는 나조차 난생처음 마주한, 벼락을 맞은 그녀는 카트에 실려 응급실로 들어왔다. 비가 너무 많이 내려 카트와 환자는 방금 물에서 건져낸 것 같았다. 나는 처음으로 벼락을 맞은 사람을 가까이서 볼 수 있었다. 온몸이 그을려 있었지만 표면이 불탄 사람과는 달랐다. 고압의 전류가 순식간에 몸을 관통했고, 겉은 대체로 온전했지만 냄새가 너무 심했다. 그 찰나에 고압 전류로 인해 그녀의 내장과 근육이 전부 타버렸던 것이다. 그것은 전기로 살아 있는 생명체를 구웠을 때 나는 냄새와 비슷했지만, 훨씬 더 매캐하고 지독했다. 나는 그때 벼락에도 냄새가 있음을 처음 알았다. 축축하고 먹먹한 물 냄새와 연기가 자욱하도록 바짝 익힌 생명체의 냄새가 뒤섞인 느낌이었다.

세 명의 구급대원이 그 환자와 함께였다. 전부 주황색 방수복 차림이었지만, 그들도 물에서 방금 나온 것 같은 몰골을 피할 수 없었다. 카트와 대원들 모두 한 덩어리 같았다. 그중 한 명이 환자에게 심폐소생술을 하고 있었고, 다른 한 명은 숨을 불어넣고 있었으며, 그리고 한 명은 카트를 밀고 있었다. 그중 카트를 밀던, 가장 고참으로 보이는 대원이 탈진한 목소리로 내게 전했다.

"북한산 정상에서 벼락을 맞았습니다. 출동했을 때 이미 심정지 상태였습니다. 심폐소생술을 유지하며 왔습니다."

단 세 문장이었다. 하지만 대원들이 얼마나 고생했을지 짐작할 수 있었다. 나는 그 말을 들으며 그들이 여기까지 오게 된 경위를 되짚었다. 일단 누군가 벼락을 맞았다는 신고가 들어왔다. 북한산 정상이었고, 비가 너무 내려 헬기조차 뜰 수 없는 상황이니 직접 달려가는 수밖에 없었다. 게다가 촌각을 다투는 심정지였다. 그들은 전화를 받자마자 방수복을 챙겨입고 소방서를 뛰쳐나와 젖은 산길을 달려올라갔다.

보통 사람이라면 산 정상에 오르는 것만으로도 지친다. 게다가 비가 내리는 상황에서 달려올라가야 했으니 몹시 지친 상태에서 환자를 발견했을 것이다. 그러나 곧 심정지를 인지하고는 환자를 포기할 수 없어 병원에 도착할 때까지 계속 심폐소생술을 시행했을 것이다. 한마디로 환자를 들고 심폐소생술을 유지하며 북한산에서 내려온 것이다.

대원은 세 명이었다. 산길에서는 카트로 이동할 수 없으니, 환자를 직접 드는 수밖에 없다. 두 명이서 환자를 앞뒤로 들어야 한다. 들것과 환자가 푹 젖어 이미 무거운데, 대원들의 몸과 들것 위로 비가 사정없이 내렸다. 그 상태만으로도 힘겨운데 남은 한 명은 하늘을 보고 똑바로 누운 환자의 흉부를 푹 들어갈 정도로 세차게 눌러야 했으니 버텨야 하는 힘과 눌러야 하는 힘이 전부 어마어마했을 것이다. 팔과 다리가 떨어져나갈 것 같아, 순간순간이 고문과도 같았을 것이다.

지친 대원들은 폭우 속에서, 그 상태를 유지하면서 서로 역할을 바꾸어 경사진 북한산을 내려왔다. 그 상황에서 심폐소생술이 효율적으로 완벽하게 이루어지기는 불가능했지만, 조금이라도 힘이 떨어져 최선을 다하지 못하면 이 사람의 생명이 위험할 수 있다고 생각했을 것이 분명하다. 그 장대비를 맞으며, 생명의 존엄에 관한 소명을 품은 채 환자와 직접 피부를 맞대고 있는 사람이 다른 생각을 하기란 불가능하다. 그들은 불가능해 보이는 미끄러운 비탈길을 최선을 다해 끝까지 내려왔다.

나는 듯한 발걸음으로 내려온 그들은 산 아래서 기다리던 구급차에 환자를 급히 태웠다. 그 순간까지도 그들의 손길은 멈추지 않았다. 그렇게 빗길을 뚫고 그들은 이곳, 응급실로 뛰어왔다. 형편없이 젖은 몰골이나 탈진할 듯 지쳐버린 자신들의 육신을 돌아볼 여력은 없었다.

세 문장으로 사건의 모든 경위를 순식간에 파악한 나는 환자를 급히 마주했다. '벼락 냄새'가 진동했다. 그녀의 전신은 이미 푸른 기색이었고, 피부가 잔뜩 불어 있었다. 손발도 차디찼다. 나는 여기로 오기까지 필연적으로 시간이 오래 걸릴 수밖에 없었을 거라는 데 생각이 미쳤다. 결국 이런 날씨에 산 정상에서 사람을 데리고 내려오는 것은, 온전히 사람의 힘이 아니면 불가능하다. 신고 시각을 확인해보니 두 시간도 더 지난 상황이었다. 나는 빗물에 불어난 팔과 다리를 이리저리 들어보았다. 관절이 전혀 접히지 않았다. 벼락을 맞은 순간 심장이 멈추었을 것이다. 곧 상황을 정리하고 이야기했다.

"돌아가셨네요. 시간이 너무 지체되었습니다. 병원에서는 더이상 할 처치가 없습니다. 지금 이 시간으로, 사망선고 하겠습니다."

매정하게 느껴졌을 것이다. 하지만 냉철한 판단이기도 했다. 나에게 죽은 자를 살릴 선택지는 없었다. 의료진이 카트를 받아 운구하듯 느리게 옮겨 갔다.

언제나 냉철한 모습만 보이던 대원들은 내 말이 떨어지자마자 급격히 동요했다. 두 명은 응급실 바닥에 털썩 주저앉아버렸다. 나머지 한 사람, 들어오자마자 세 문장으로 상황을 설명하던 고참도 풀린 다리로 간신히 서 있었다. 그리고 이미 탈진한 지 오랜 목소리로 말했다.

"죽었단 말, 말씀입니까?"

"네, 시간이 너무 지체됐습니다. 죄송합니다."

"아니, 아, 어떻게 해, 아, 아니, 네, 그렇군요…… 알겠습니다."

그는 뭐라고 항의하려는 듯한 기색이었다가, 이내 마음을 접은 듯한 표정을 지었다. 그 기색도, 그 접은 마음도 필연적이었다. 누구든 그럴 것이었다. 그들은 그 힘겨운 사투 속에서 그녀가 살아나기만을 소망했을 것이다. 최소한 목숨만이라도 붙들어 보람을 느낄 수 있기를 기대했을 것이다. 다른 사람의 생사를 눈앞에 둔, 그리고 그것이 오롯이 자신에게 달려 있다고 여기던 인간이라면, 그럴 수밖에 없다. 하지만 그날 하필 하늘에서 내리치는 불운을 맞았던 그녀와 소명을 다해 온 힘을 바쳐 뛰었던 그들은, 그날의 완벽한 패배자가 되었다.

대원들은 곧 사지를 추스르고, 흠뻑 젖은 장비와 카트를 실어 응급실 밖으로 나갔다. 빈 카트 위에 장비를 싣고 응급실 문을 빠져나가는 몸짓이 무척 힘겨워 보였다. 그리고 나는 아직도 탄 냄새를 들이켜며, 그들이 차로 돌아가는 모습을 마지막까지 바라보았다. 나는 일반적인 확률로는 도무지 일어나기 힘든 불운을 맞이한 그녀와 뒤늦게 달려온 아들의 한 맺힌 절규를 아직도 기억한다. 그러나 그날 내 뇌리에 가장 깊이 남은 것은 맥없이 돌아서던 대원들의 뒷모습이었다.

응급실은 병원에서 소방대원을 직접 만날 수 있는 유일한 곳입니다. 그렇기에 저는 현장에 직접 갈 일은 없지만, 소방대원들의 고충을 간접적으로 경험하고 이해할 수 있습니다.

소방대원이 현장에서 겪는 노고는 서술하기도 미안할 정도로 벅찹니다. 이 이야기는 극단적인 상황에 관한 것이지만, 비슷한 일은 언제건 때를 가리지 않고 발생합니다. 대원들은 신고를 받자마자 달려가 어떤 상황이건 환자를 살리기 위해 사투를 벌이고, 심지어 죽은 사람도 수습해야 합니다. 강에서 시체를 건지고, 기계나 차에 분쇄되거나 불탄 시체를 수습하고, 아무도 건드리지 못하는 부패된 시체를 처리하기도 합니다. 그 환경이 매번 위험천만하고 위태로운 것은 당연합니다. 2010년부터 2014년까지 33명의 소방관이 순직했고, 1595명이 다쳤습니다. 이렇게 동료 또는 환자들이 위험에 빠지고, 때론 죽어 나가는 끔찍하고 잔인한 상황에서, 소방관들이 느끼는 정신적 중압감은 말할 필요도 없습니다. 최근 5년간 35명의 소방관이 자살했고, 전체 소방관의 40퍼센트 정도는 외상후스트레스증후군에 시달리고 있습니다.

하지만 사회적으로 소방대원에 대한 대우와 현장에서의 인식은 매우 불합리합니다. 119 업무 중 화재로 인한 것은 10퍼센트 미만이고, 구급이나 기타 출동이 대부분을 차지합니다. 사람들은 119가 화재뿐 아니라 다양한 문제를 해결해준다고 믿습니다. 그래서 술을 많이 마셨거나 손톱이 부러졌다거나 코피가 나는 것과 같은 증상만 있어도 119에 전화를 합니다. 심지어 현관문이 잠기거나, 개를 잃어버리거나, 이웃과 다투어도 119에 신고합니다. 가벼운 전화라고 생각할지 모르지만, 119 대원이 한 번 출동하는 데 드는 비용이 30만 원입니다. 반면 신고자는 한 푼도 내지 않습니다. 문제가 생겼을 때 누구나 간편하게 도움을 받을 수 있다는 점은 긍정적이지만, 공짜이기에 사람들은 가볍게 생각하며, 때로는 현장에서 대원들을 무시하거나 대원들에게 폭언을 내뱉기도 합니다.

매년 현장에서 폭행당하는 소방대원은 60명에 달합니다. 이런 현실 속에서 대원들은 자신이 구해내야 하는 사람들이 언제나 자신에게 위해를 가할 수 있다는 점을 생각해야 합니다. 설령 그러한 폭행을 경험하더라도, 자신들의 위치와 소명 때문에 적극적으로 항변할 수조차 없습니다. 그 과정에서 대원들이 마음의 상처를 입는 것은 말할 필요도 없습니다.

소방공무원의 또다른 행정적 문제도 산적해 있습니다. 최근 '소방공무원을 지방직에서 국가직으로 전환하자'는 말을 들어보셨을 것입니다. 일견 우리는 왜 소방공무원이 현재 국가직이 아닌지, 혹은 왜 당연히 국가직으로 전환되지 않는지 의아해할 수 있습니다.

국가직이란 국가에서 임용해 국가기관에서 근무하는 공무원이고, 지방직은 시·도에서 임용해 지방기관에서 근무하는 공무원입니다. 현재 소방관은 지방직이므로 시·도에서 임용해 지방기관에서 근무하지만, 범국가적 조직인 국민안전처 소속이기도 합니다. 그러므로 체계가 일원화되지 않은 채, 국민안전처의 명령을 받으면서 시·도의 지시까지 받아야 합니다. 이는 특별한 예지만, 지자체는 자신들의 명령체계에서 소방조직을 독립시키고 싶어하지 않습니다. 그래서 지자체 행사에 비번인 소방관이 불려나와 의자에 쌓인 눈을 닦고, 도지사가 개인 업무를 위해 소방 헬기를 부르는 등 고개를 갸우뚱하게 하는 일이 발생하기도 합니다.

이 때문에 인력이나 자원의 배분 문제가 발생합니다. 국가직이 아니므로, 국가에서 내려온 예산을 지자체가 자의적으로 소방 부문에 편성하게 되어 있습니다. 당연히 부유한 지자체일수록 안전 문제에 편성할 여유가 많겠지요. 그래서 서울이나 경기 등 부유한 지자체의 소방 예산은 넉넉하고, 지방으로 갈수록 당장 티 나지 않는 안전 부문의 예산은 줄어듭니다. 그러다보니 인구는 적은데 맡아야 할 반경은 넓어지고, 지방일수록 인력이 부족합니다. 서울의 구급차에는 평균 3명이 타고, 지방의 구급차에는 평균 1.7명이 탄다는 통계도 있습니다. 원칙상 구급차의 탑승 인원은 3명이 맞지만, 지방엔 구급차 4대를 보유한 소방서에 근무 소방관이 5명인 경우도 다반사입니다. 애초에 보유한 차가 전부 출동할 수 없는 이상한 구조입니다.

또한 이 말은 한 명이 구급차를 운전한다고 했을 때, 심폐소생술을 할 사람이 0.7명에서 2명까지 차이가 난다는 것입니다. 이러한 구조에서는 당연히 지방으로 갈수록 심정지 환자의 소생 확률이 떨어질 수밖에 없습니다. 인력 채용뿐 아니라, 급여도 지자체에서 지급하다보니 지방에서는 수당을 줄 예산이 부족해 억지로 퇴근시키거나 심지어 체불하는 경우도 있고, 복지 수준도 당연히 서울과 차이가 납니다. 게다가 체계가 일원화되어 있지 않아 인력이나 장비를 유동적으로 재분배하는 일도 불가능합니다. 여름 휴가철 바닷가나 봄가을 명산 근방의 대원들은 훨씬 더 바빠질 것이 분명하지요. 하지만 인력 충원이라곤 없어 대원들은 그저 과로에 시달리며 눈코 뜰 새 없이 바쁘게 일할 수밖에 없습니다.

특정직 공무원, 즉 직무의 특수성을 인정해주는 공무원은 우리나라에 약 50만 명이 있습니다. 군인, 경찰, 검사, 법관, 소방관 등이 이에 해당합니다. 그중 국가직은 약 46만 명이고, 우리나라의 소방관은 4만여 명입니다. 국방, 치안, 안전 중 지방직으로 남은 특정직 공무원 부문은 안전뿐입니다. 국가적으로 관리되지 않는다는 뜻은 가령 이런 것입니다. 여러분은 경찰병원과 국군병원에 대해 들어본 적이 있겠지만, 소방병원은 들어본 적이 없을 것입니다. 왜냐하면 소방 조직은 전면적인 국가 관리에서 벗어나 있기 때문입니다. 소방관들의 안전을 관리하는 전담병원이 없다는 것은 그 업무의 강도나 특성을 비추어볼 때 타당하지 않습니다.

일견 당연해 보이는 소방관의 '국가직 전환'은 현실적으로 요원합니다. 일단 소방관이 지방직으로 남아 있을 때 권력을 누리고 이권을 행사하는 이들이 반대하고, 자원이 풍족한 시·도나 그곳 주민들은 적극적으로 주장할 필요가 없습니다. 또한 이런 상황에서 피해를 입고 고통받는 사람들의 목소리는 미미합니다. 이러한 현실에서 절박한 사람들은 사회의 변방에 밀려나 있습니다. 정복 차림으로 피켓을 들고 거리로 나와 호소하는 소방관들의 목소리가 매번 대중에게 잊히고 마는 것이 현실입니다.

이것은 안전에 관한 문제입니다. 고통받는 약자에게까지 소방 조직의 힘이 충분히 닿도록 하는, 어쩌면 사회의 분배와도 직결되는 안전의 문제입니다. 안전과 생명에는 빈부 격차가 있을 수 없습니다. 그래서 저는, 최근 발의된 '소방공무원 국가직 전환 법안'이 가능한 한 빠른 시일 내에 국회에서 통과되길 바랍니다.

질풍노도를
건너는 법

한 여고생이 있었다. 이 나이의 아이들은 아주 활동적이고, 세상에 대한 두려움이 없으며 때로는 어수룩한 짓을 저지르지만, 그런 무모함이 오히려 이 시기를 잘 넘어가게 해주는 원동력이 되기도 한다. 이 여고생은 정확히 그런 정의에 부합하는 학생이었다. 질풍노도의 시기를 바람처럼 보내며, 어른이라면 좀처럼 하지 않을 일을 벌이곤 했다. 그리고 그 행동은 대부분 이 사회의 드넓은 아량으로 받아들여졌다.

어느 날 이 학생은 수업 시간에 몰래 교실을 빠져나와, 누군가 지키고 있는 정문을 피해 월담을 해서 떡볶이를 먹으러 가기로 마음먹었다. 그 나이의 여학생에게 식욕은 학교라는 공간에서 하루를 버티게 하는 힘이므로. 그러나 본디 선량한 학생인지라 수업중 탈선에 마음

이 조금 불편했고, 빨리 이 따분한 학교를 벗어나야겠다는 생각까지
겹쳐 급하게 월담을 결행하러 나선다. 떡볶이를 먹으며 수다 떨 친구
와 함께.

담은 아래쪽 약 1미터까지 짙은 회색 콘크리트고, 그 위에 검은 철
창이 빼곡히 박힌 흔한 형태다. 언제나처럼 날랜 동작으로, 교복 치
마를 걷어올린 친구가 먼저 담을 2단으로 디디고 반대편 자유로운
세상으로 뛰어내린다. 뒤이어 우리의 학생도 치마를 약간 걷어올린
채 2단 분리된 담의 아래쪽을 딛고 학교를 떠날 채비를 한다. 그리고
연속된 동작으로 담 끝의 뾰족한 창살을 피해 그 사이 편평한 부분
을 디디고, 자유로운 세상으로 힘차게 풀쩍 뛰어내린다.

하지만 순간 그녀는 뭔가 잘못되었다고 느낀다. 몸이 허공에 떠올
랐다가 분명 끝까지 내려앉았는데, 역시 허공에서 허우적거리던 손
이 뜨끔한 느낌이 들며 움직이지 않는 것이다. 그녀는 간신히 대지에
두 발을 딛던 채 반사적으로 고개를 들어 자신의 오른손을 보고는
날카로운 비명을 지르기 시작한다. 뾰족하고 검은 창살은 별 표정도
없이 굳건하게 수직으로 나란히 서 있고, 학생의 오른팔이 날카로운
창살 두 개에 꼬치로 꿴 듯 허공에 꿰어 있다. 도저히 믿을 수 없게
도 창살과 교차된 팔은 아무리 움직이려 해도 꼼짝하지 않는다. 별
안간 비명이 학교 전역에 퍼져나간다.

119 대원이 오기 전 수많은 학생과 교사와 교무주임과 학생주임과
교감과 교장과 청소부와 행인과 알 수 없는 사람들까지 학교 담 주
위로 몰려든다.

"오메, 저게 뭐람."

"어머, 피 한 방울 안 나네. 아주 그냥 꽉 끼인 모양이지."

"세상에, 저런 건 처음 보는구먼."

평범한 학교 담벼락은 갑자기 시장통이 된다. 교사와 교무주임과 학생주임 등은 몰려든 사람들 사이를 비집고 들어가 허공의 팔을 보고는 잠시 할말을 잃었다가, 으레 그래왔듯 통제력을 발휘해야겠다는 생각이 든다.

"학생들은 빨리 교실로 돌아간다! 얼른 돌아가!"

학생들 역시 으레 그래왔듯 복종하며 머뭇머뭇 교실로 돌아가지만, 구름떼처럼 몰려든 사람들은 그대로다.

이윽고 요란한 소리를 내며 119 대원이 도착한다. 주황색 옷을 입은 119 대원은 번쩍 들려 있는 여고생의 가녀린 오른손이 담 창살에 박혀 있는 모습을 가만히 들여다보다가, 있어서는 안 될 것이 있어서는 안 될 곳에 존재하는 듯한 이상한 광경에 할말을 잃는다.

"어쩌지, 이거?"

"의료 지도 있잖아. 그거 받아."

대원 A는 곧 어디론가 전화하더니 통화를 마친 후 말한다.

"저 창살을 통째로 자르래, 팔 건들지 말고."

"저거 펜치로는 안 잘리잖아. 해머로 부술 수도 없고. 전기톱이 있어야 되나?"

"그러면 용접기는?"

"우리는 119야. 용접기는 뭐 붙이는 데 쓰는 거 아냐?"

"그럼 인명구조용 전기톱을 써야겠네. 인명구조 맞잖아."

"근데 그거 차에 있나?"

"그건 화재 때나 가지고 오는 거잖아."

"그럼 가지고 오자."

A와 B는 눈앞의 학생은 아랑곳하지 않고 대화를 나누더니 구급차를 타고 다시 어디론가 간다. 학생은 '펜치', '해머', '전기톱', '용접기'라는 단어가 나올 때마다 인상을 찌푸리다가, 결국 '전기톱'으로 낙찰되자 다시 한번 울음을 터뜨린다. 구름떼 같은 사람들은 전기톱이 담 창살을 자르는 다이내믹한 장면을 기대하며 다시금 웅성거린다. 그때 학생주임이 담요를 가지고 와서 학생의 오른팔을 덮어준다.

"이 양반들, 구경난 거 아니니까 이제 그만 가서 일들 보세요. 어서요, 어서."

사람들은 마지못해 발길을 돌린다.

구급대원 두 사람은 한참 뒤에 전기톱을 가지고 돌아온다.

"이거 언제 써봤어?"

"난 소방관 되고 한 번도 안 써봤는데, 쓸 일이 흔한가."

"난 5년 전 화재 현장에서 한번 써봤어."

"그럼 네가 해야겠다. 한 번이라도 해본 사람이 더 낫겠지."

A는 전기톱의 줄을 힘차게 당긴다. 톱은 무엇이든 다 부수고 파괴하고 잘라버릴 것처럼 우르릉거리기 시작했다. 학생의 인상이 파리해지는 걸 지켜보던 선생 몇 명이 팔을 덮고 있던 담요를 조정해, 팔에 불똥이 튀지 않게 잘 감싸준다. A는 우르릉거리는 전기톱을 여고생의 팔 아래로 넣어 검은 창살에다 들이민다. '지지지지지지지지지지징.' 쇠와 쇠가 맞부딪치는 굉음에 학생은 꺅꺅거리며 비명을 지른다. 진동이 제법 느껴지긴 하겠지만, 막상 톱으로 깁스를 풀 때 아프지

않아도 괜히 입에서 신음이 나오는 것과 같은 이치다. 학생의 비명과 함께 검은 창살 하나가 빈속을 드러내며 잘린다. A는 외친다.

"하나 남았다. 아자자자!"

잘린 창살은 근육 결에 맞게 허공에서 삐뚜름하게 떠 있다. A는 주저하지 않고 남은 창살에다 전기톱을 댄다. '지지지지지지지지징.' 불꽃이 튀자 학생은 마지막 비명을 지른다.

"으이야에이양이야이가약."

한가한 낮시간이어서 응급실에 별다른 환자도 없고 지루해서 괜히 컴퓨터 모니터만 바라보고 있는데 별안간 흥미로운 분위기의 환자가 들이닥친다. 단아하지만 얼굴이 눈물자국으로 범벅인 여고생이다. 보디가드처럼 주황색 옷의 119 대원 둘이 따라온다. 오른팔을 담요로 감싼 것을 보니, 장난치다가 오른팔을 잘못 짚어 부서진 모양이다. 뒤로 넘어지면서 팔을 짚었을 때 가장 흔히 벌어지는 손목 골절이 아닐까 짐작한다. 얼른 사진 찍고 설명해준 뒤 깁스를 대면 되겠군.

"팔 아파서 왔어요?"

"네."

"어쩌다 다쳤어요?"

"저 그게…… 팔이……"

지켜보던 A가 대신 대답한다.

"창살이 지금 이 학생 팔에 두 개나 박혀 있습니다. 월담하다가 그랬답니다. 의료 지도를 받으니 뽑지 말고 그대로 잘라서 병원에 가야 된다고 해서 창살째 이송해왔습니다."

"응…… 웅? 네?"

일단 처치실로 들어가 환부를 자세히 살펴보기로 한다. 학생을 처
치실 침대에 눕히고, 나는 육중한 처치실 문을 꽝 닫는다. 그새 집에
서 달려온 어머니가 학생 옆에 서 있다. 나는 담요를 혹 걷는다. 헉,
하는 소리를 낼 뻔했지만 직업적 소명으로 간신히 참는다. 15센티미
터가량의 창살 두 개가 모양도 온전하게 여고생 오른팔 아래쪽에, 그
것도 두 개의 뼈 사이로 악착같이 절묘하게 꽂혀 있다. 학생은 통증
이 느껴지는지 오른팔에 계속 힘을 주는 바람에 근육이 수축되어
두 개의 검은 창살은 근육의 결을 따라 평행이 아니라 약간 삐뚤어
진 각도로 허공에서 떨리고 있다. 나는 묻는다.

"월담하다가 이렇게 된 거란 말이죠?"

"…… 네."

학생의 어머니는 실제로 창살이 팔에 꽂힌 광경을 보자 믿기지 않
는지 우두커니 지켜볼 뿐이다. 나는 학생의 팔을 다시 한번 면밀히
본다. 중간에 뼈라도 만났으면 창살이 튕겨나갔을 텐데, 날의 방향이
하필 부드러운 살이 있는 쪽으로만 향했기 때문에 창살은 완벽하게
팔을 수직으로 관통했다. 그리고 근육 사이에 꽉 끼였는지 핏자국만
약간 배었을 뿐, 거의 출혈이 없다. 마치 모형 팔에 아이가 장난스럽
게 장난감을 꽂아놓거나, 박물관에 전시된, 전쟁에서 날아온 화살촉
을 팔로 받아낸 밀랍 인형의 팔 같다.

창살은 살갗보다 단단해 살 어디든 박힐 수 있지만, 하필 이 체크
무늬 치마와 타이까지 곱게 갖춰입은 여고생의 팔을 관통하다니. 그
런 생각을 하는 동안 학생이 약간의 신음을 내며 팔을 꼼지락거린다.

허공에서 검은 창살 두 개가 달그락거리며 흔들린다.

"저, 환자분, 팔 움직이지 마세요. 신경이 상해요."

"잉…… 네."

나는 손끝의 감각과 움직임이 완전히 살아 있는 것을 조심스럽게 확인했다. 말단의 신경은 온전했고, 손가락 관절도 전부 잘 움직였다. 이어서 나는 보호자에게 설명했다.

"놀라셨을 겁니다. 하지만 심하게 다친 것은 아닙니다. 일단 이 창살을 뽑고 추가로 내부 손상을 확인할 겁니다. 큰 이상 없으면 안에 살이 차올라서 자연스레 회복될 겁니다. 흉은 좀 지겠지만, 팔을 못 쓰게 된다든지 하는 그런 심각한 사고는 아니에요. 수술방에서 전신마취하고 뽑으면 괜찮아요."

"이거 뽑는데 전신마취를 한다고요?

"이걸 곧장 뽑으면 철봉이 꽂혀 있던 빈 구멍에서 근육이 튀어나오고, 동맥에서 피가 뿜어져나오고, 신경이 끊어지는데, 마취가 안 돼 있으면 환자가 팔을 막 움직여서 그 광경이…… 하여간 골치 아파져요."

"어유, 네, 그렇게 하세요. 전신마취 마음껏 하세요."

듣고 있던 학생은 방금 묘사된 상황에다, 수술이라는 이야기를 듣자 뽀얀 피부를 있는 힘껏 찡그리며 다시 신음한다.

"엄마…… 엄마……"

나는 아랑곳하지 않고 정형외과에 전화를 한다.

"지금 학생이 하나 왔는데, 15센티미터 창살 두 개가 라디우스 Radius, 요골. 아래팔 뼈 중 바깥쪽의 짧은 뼈와 얼나Ulna, 척골. 아래팔 뼈 중 안쪽의 긴 뼈 사이

118

를 완벽히 관통했어. 119가 전기톱으로 창살째 고스란히 잘라서 데려왔네. 고생 좀 했을 거야. 하여간 수술해서 창살을 빼야겠다."

"뭔 소리냐, 그게. 아휴, 내가 뼈 치료하려고 정형외과 왔지, 쇠창살을…… 알겠어. 사진 먼저 찍어줘."

엑스레이와 CT 촬영을 위해 여고생을 검사실로 보낸다. 일단 엑스레이는 오른팔을 좌우, 그리고 대각선 좌우로 네 장 찍어야 한다. 방사선 기사는 창살이 꽂힌 팔을 보고 뜨악해하다가 사진을 찍기 위해 팔을 이리 돌리고 저리 돌리며 식은땀을 흘린다.

쇠창살에 엑스레이를 쏘면 아주 선명하게 하얗게 찍힌다. 결국 엑스레이란 모든 것을 관통하므로 팔과 쇠창살 사이에서 전후 앞뒤 관계를 분명히 인지하기는 어렵다. 화면에 올라온 엑스레이 사진을 보니 그냥 팔에다 누군가 쇠창살을 따로 놓고 찍은 것 같은 모습이다. 가끔 의료 영상이라는 것은 이렇게 싱거울 때가 있다.

연이어 CT를 찍는다. CT 통 안에 쇠가 들어 있으면, 화면에 간섭이 일어나 주변을 온통 알아볼 수 없게 어지럽힌다. 가령 인공관절 같은 게 몸에 들어 있는 경우가 그렇다. 이번엔 쇳덩이인 창살을 통째로 놓고 찍었으니, CT 결과는 도저히 무엇이 뭘 뚫고 어떻게 나왔는지 알아볼 수 없을 정도로 지저분하고 간섭이 심하다. 나는 혼자서 중얼거린다.

"이건 괜히 찍었군. 전혀 도움이 안 되겠어."

촬영을 마친 여고생은 팔에 담요를 감은 채 온갖 우환이 어린 표정으로 괜히 절뚝거리며 걸어온다.

"사진은 잘 나왔어요. 이제 수술방에 가서 뽑으면 됩니다."

"…… 네."

나는 순간 그 표정에서 'ㅠㅠ' 정도의 이모티콘을 본 듯하다.

정형외과에서는 응급수술을 신청하고 환자를 수술대 위에 눕힌다. 곧 학생은 전신마취되고, 의사들 앞에는 쇠창살에 꿰인 팔만 덩그러니 놓인다. 마취과 의사는 놀라운 광경에 수술대 위를 흘깃거린다. 팔 바로 앞에 선 집도의가 읊조린다.

"치밀하게도 꿰어왔군."

퍼스트_{집도의 바로 아래의 보조 의사}가 묻는다.

"이거 어떻게 뽑을까요?"

"일단 뽑는 거지 뭐. 뽑자, 저 바깥쪽 친구부터."

퍼스트는 지시대로 바깥쪽 창살을 날이 있는 방향으로 쭉 뽑는다. 창살은 마치 바느질할 때 바늘이 천을 통과하는 것마냥 들어온 대로 고스란히 뽑혀나간다. 구멍이 고스란히 드러나고, 곧 뽑혀져나온 피로 구멍이 메워진다.

"저거 막고 힘줄tendon이랑 근육 손상 하나하나 파악해."

곧 거즈가 구멍에 들어차고, 의사들은 구멍의 결을 하나하나 헤집는다.

"여기 힘줄 한 개가 반쯤 나갔네요, 그리고 근육 파열이 조금 있는데요. 다행히 동맥은 비껴갔어요."

"그래. 해부학적으로 중요 구조물은 지나가지 않는 자리야. 안쪽 구멍 씻어내고, 힘줄 봉합하고, 근육 봉합한 뒤 닫자."

퍼스트와 세컨드_{퍼스트 아래의 보조 의사}는 커다란 주사기로 구멍에다 식염수를 10리터쯤 마구 쏜다. 구멍엔 식염수에 섞여 엷어진 피가 쭉쭉

씻겨나간다. 누구도 입 밖으로 꺼내지는 않지만, 살 위에 뻥하고 뚫린 그 구멍은 왠지 예수님이 십자가에 못 박혔다가 부활한 뒤 손에 남은 구멍 같다. 그렇다면 이것은 존재 증명을 위한 상흔인가? 곧 구멍 하나가 메워지자 집도의는 힘을 낸다.

"이렇게 똑같이, 마저 한 개 더 뽑자, 콱."

나머지 창살도 힘차게 뽑힌다. 똑같은 과정을 한 번 더 거치자, 학생의 팔은 들어간 자리와 나간 자리에 두 개씩, 총 네 개의 바느질 자국만 남는다. 곧 의사들은 팔에 스플린트고정하는 부목를 대고 붕대를 두껍게 칭칭 감는다. 수술은 잘 끝났다. 학생의 팔은 이제 부활할 것이다.

결국 약간의 통증은 남겠지만, 학생의 팔은 그럭저럭 잘 아물 것이다. 이윽고 시간이 흘러 어른이 된 그녀에게 그 흉터는 다 커버린 한 어른에게도 한창 겁없던 시절이 있었노라는 존재 증명으로 남을 것이다.

거기
119죠?

왁자지껄한 119 상황실에 앉아 근무하고 있으면, "거기 119죠?"라는 말로 시작하는 통화 내용들이 귓가에 몇 개씩 항상 들려온다. 그것들은 대부분 평범하지만, 어떤 것은 제법 재미있거나 때로는 분노를 유발한다. 그중 추석 연휴에 걸려온 전화 몇 건만 소개해볼까 한다.

1.

"거기 119죠?"

"네, 신고자분 말씀하세요."

"저희 집에 지금 벌이 한 마리 들어왔어요. 빨리 벌 잡으러 오세요. 큰 놈이란 말이에요."

"벌 한 마리요?"

"네, 벌요."

"저, 벌 한 마리로는 저희가 출동하지 않습니다. 사람들 집에 벌이 들어갈 때마다 119가 출동해서 잡으면 저희 대원들 일이 얼마나 많겠습니까."

"아니, 지금 저 벌이 얼마나 무섭게 생겼는지 못 봐서 하는 말이에요. 벌이 우리 가족을 쏴서 콱 죽어버리면 어쩌려고 그러세요?"

"벌집이면 몰라도…… 대원 세 명이 구급차 타고 출동해서 벌을 한 마리 잡으면 되겠습니까?"

"네, 당연하죠. 지금 이게 얼마나 급한 일인데. 그리고 어딘가 벌집이 있다는 거잖아요. 온 김에 그것도 없애주세요. 다신 안 들어오게."

"저희도 벌집 제거하려고 출동하면 에프킬라를 쭉 뿌려서 벌을 내쫓습니다. 멀리서 살충제를 뿌려 벌을 내쫓든지, 아니면 집에 진하게 살충제를 뿌려놓고 집 밖에 나가 계시면 벌이 알아서 나갑니다. 그렇게 해보시죠. 벌집은 나중에 찾으면 다시 신고 주시고요. 지금 일대의 벌집을 어떻게 다 뒤지겠습니까?"

"아니, 듣자니까 이 사람들이 와보지도 않고 말로 해결하려드네? 지금 추석 연휴인데 에프킬라가 어디 있어요? 그걸 어디 가서 구해요? 그렇다면 에프킬라라도 가져와야죠. 민원을 이렇게 해결해도 되는 겁니까? 지금 다 죽게 생겼는데?"

2.

"거기 119죠?"

"네, 신고자분 말씀하세요."

"저, 우리 강아지가 아픈데 병원에 빨리 좀 갈 수 있을까요?"

"개요?"

"네, 지금 밥도 못 먹고 끙끙거리고 있어요. 추석이라 다니던 동물병원이 전화를 안 받아요."

"그렇다면 구급차랑 구급대원 셋이 출동해서 개를 침대에 태우고 동물병원으로 이송하라는 말씀인가요?"

"음…… 그렇게는 안 되는 건가요? 저는 당연히 119 부르면 우리 강아지도 응급처치해서 동물병원으로 이송해주실 줄 알았는데."

"일단 구급차에 개를 태우면 안 됩니다. 아픈 사람이 계속 타는 구급차에 짐승을 실으면, 위생적으로 문제가 있지 않겠습니까?"

"아, 그러면 그쪽에 다른 승용차라도 없나요? 구급차 말고 다른 차를 보내주시면 되겠네요."

"지금 그게 문제가 아니라…… 119는 사람이 아프거나, 안전에 위협이 있을 때 신고하는 전화입니다. 개가 아프다는 신고는 받지 않습니다."

"아니, 휴일이잖아요. 그러면 어디다 전화하라고요, 우리 강아지가 아픈데. 강아지는 휴일에 아프지도 못하나요? 강아지나 사람이나 아픈 건 마찬가지인데, 그런 걸 119에서 무시해도 되는 건가요? 이 사람들 안 되겠네."

3.

"여보쎄요, 거기 119좋?"

"네, 말씀하세요."

"우리 집에 불났써요. 소방관 아저씨들 어서 오쎄요."

어린 초등학생쯤 되는 듯한 목소리다. 게다가 주변에서 다른 아이가 키득거리는 소리도 들린다. 정말 흔하게 걸려오는 전화다.

"야! 너 지금 어디다 전화한 건지 아니?! 빨랑 엄마 바꿔!"

수보대원119 상황실에서 전화 접수를 받는 대원은 익숙하게 대처한다.

"우리 집에 불났단 말이에요, 방금 불이 났단 말이에요."

"엄마 바꿔!"

"잉……"

잠시 뒤에 어른이 전화를 받는다.

"여보세요?"

"여기는 119 상황실입니다. 아이가 집에 불났다고 신고했습니다. 다 큰 아이 같은데 따끔하게 주의를 좀 주시죠."

"아니, 우리 애가 아직 어려서 그래요."

"목소리 들으니깐 큰 애던데요?"

"초등학교 1학년이에요."

"그렇다면 사리분별할 정도는 되는 나이잖아요. 그 정도 애들이면 이게 장난전환지 다 알아요. 따끔하게 혼내주시죠. 119는 장난 전화 하는 곳이 아닙니다."

"아니, 듣자 듣자 하니까 방금 애도 울상이던데, 아직 어린애인데 너무 심하게 대한 거 아닙니까? 초등학생이 뭘 알겠어요? 좀 애 다루듯이 좋게 좋게 말하셨어야지. 사람 구하는 곳에서 아직 어린아이한테 지금 소리 지르고 무슨 짓입니까?"

"사람 구하는 곳에 아이가 마음대로 전화하는 게 더 큰 문제 아

닙니까? 전화기 붙잡고 있으면 아이가 어디다 전화하는지 봐주셔
야지요."

"당신이 뭔데 지금 우리 애 교육에 관해서 이래라저래라야. 애가
어려서 아무 데나 전화할 수도 있는 거지. 지금 부모까지 싸잡아서
욕하네? 참…… 사람 살리는 119라는 데가 어이가 없어서."

4.

"거기 119죠?"

"네, 신고자분 말씀하세요."

"저, 우리 어머니가 지금 서울 세브란스 병원에 가셔야겠는데요?"

"신고하신 곳이 당진 아닙니까? 그건 그렇고, 무슨 일이시죠?"

"저희 어머니가 서울 큰 병원에 가서 진료를 받으셔야 해요. 원체
뇌졸중이 있어서 거동이 불편한데, 그동안 당조절도 안 되셨고 기운
도 없으시다고 해요. 전반적으로 진료를 좀 받아야겠어요."

"지금 당장 아프신 곳은 없고요?"

"뭐 아프다고는 안 하시는데, 가족들이 보기엔 좀 아파 보입니다."

"근데 왜 서울 세브란스로 가신다는 거죠?"

"이 시골 병원을 믿을 수가 있어야죠. 이전에 한번 진료받으신 적
도 있고, 이번 기회에 입원해서 전반적으로 치료를 좀 받으려고요."

"이전에 거기서 진료받은 게 언제죠?"

"한 3년 됐나, 2010년쯤이니까…… 5년쯤 됐겠네요."

"꼭 지금 가셔야 합니까?"

"지금 아파 보이시는데 당장 가셔야 되는 거 아닌가요?"

"오랜만에 어머니를 뵈셨나보네요…… 지금 어머니께서 어디가 특별히 아프다고 말씀하시거나 특수한 상황인 것도 아니고, 지금은 추석 연휴인데 귀경길을 뚫고 당진에서 서울까지 119가 출동할 수는 없어요. 왕복 예닐곱 시간쯤 걸릴 텐데, 그간 당진에서 다른 아픈 분이 생기면 어떻게 하나요. 원칙상 그쪽까지 이송은 불가능합니다."

"그러면 어떻게 하지요?"

"이럴 때 먼 거리라도 이송해주는 사설 구급차가 있습니다. 꼭 가시겠다면, 그쪽 번호를 알려드리도록 하지요."

시간이 꽤 지나고 나서 다시 전화가 왔다. 이번에는 다른 남자다.

"119 상황실입니다. 말씀하십시오."

"아까 사설 구급차 보낸 새끼 좀 바꿔봐."

"저, 무슨 상황인지 말씀해주시겠어요?"

"아니, 아까 거기서 몇십만 원짜리 구급차를 보냈다니까? 사람이 아프면 당연히 공짜여야지. 이딴 법이 어디 있어?"

"아까 당진에서 서울 가시겠다고 하셨던 그 할머니 말씀하시는 건가요?"

"그래. 우리 어머니 병원 한번 모시려는데 구급차가 무슨 몇십만 원을 달라니, 나 참 어이가 없어서."

"아까 상황 설명을 다 드렸는데요, 그분이 아니시네요. 이런 상황에 서울까지는 우리 구급차가 출동할 수 없어서, 사설 구급차를 소개해드린 겁니다. 신고자분도 알겠다고 하셨고요."

"그건 내가 알 바 아니고, 어쨌든 사람이 신고했는데 119라는 놈들이 와서 보기라도 해야지. 진짜 아픈지 아닌지 와서 보지도 않고 무슨 돈 받는 구급차나 불러주고, 차비랍시고 돈을 이딴 식으로 받아처먹어. 너네 다 한통속이지. 돈 받아먹는 자식들이 거기서도 돈 받아먹는 차 불러대고, 너네한테 전부 민원 넣고 고소할 거야. 민원 넣고 고소한다고! 돈만 밝히는 새끼들아!"

지진의
응답자들

우리가 119에 전화를 걸면 현 위치에서 가장 가까운 소방서에서 받는다고 생각하기 쉽습니다. 그래야 신고를 받고 빨리 달려올 수 있을 테니까요. 하지만 실제로는 그렇지 않습니다. 우리가 119에 전화를 걸면 각 시도청에 마련된 소방본부에서 전화를 받습니다. 신고를 받은 수보대원들은 GPS로 신고 위치를 확인한 후, 각 소방서의 인력과 장비를 보고 상황을 판단해 적절한 소방서에 출동 지령을 내립니다. 상황을 종합적으로 판단할 수 있는 동시에 효율적인 방법이기도 합니다.

그래서 충남소방본부에선 30여 명의 수보대원이 3교대로 일하고 있습니다. 근무중인 10여 명 남짓 되는 수보대원이 충청남도 전역에서 걸려온 119 신고 전화를 전부 받는 시스템이지요.

그리고 아시다시피, 2016년 9월 12일 오후 7시 44분 경상북도 경주에서 규모 5.1의 지진이 발생했습니다. 일단 크게 다친 사람은 없다고 하니 참 다행입니다. 지진은 제법 강력했지만 건물이 심하게 파괴되거나 사상자가 발생할 정도는 아니었지요. 그래도 경상북도 경주에서 발생한 지진은 홍성에 있는 충청남도청 내부에 위치한 소방본부를 포함한 전국을 뒤흔들 정도였습니다.

그날 밤 상황실에 앉아 있던 저는 제법 흔들리는 진동을 느꼈습니다. 모니터와 전광판이 조금씩 떨리고, 책상 위의 집기도 약간 진동했습니다. 재난관리본부라고 해서 재난이 피해가진 않더군요. 같이 앉아 있던 모든 수보대원들은 저와 마찬가지로 진동을 느꼈습니다. 119 상황실의 분위기도 전국에 있는 다른 건물 내부처럼 조금 술렁거렸습니다.

"워메, 뭐여 이거. 지진인겨."

우왕좌왕하는 우리 눈앞에 있던 큰 상황판엔 곧 지진 속보가 떠올랐습니다. 실제 지진이라는 것을 확인했다는 것과, 그래도 크게 심하지 않은 진동이어서 별다른 사상자는 발생하지 않았겠다는 안도감이 상황실에 교차했습니다. 그런데 별안간 분위기가 침울해지더니, 대부분의 대원들이 크게 한숨을 쉬었습니다.

"클라써유…… 우리…… 재앙이유……"

저는 재난 경험이 별로 없어 대원들이 왜 그러는지 조금 어리둥절했습니다. 인명 피해가 많이 발생할 만한 재난은 아니었으니까요. 하지만 곧 수보대원들이 예감한 다른 재앙이 시작되었습니다. 바로 상황실의 모든 전화가 갑자기 누전이라도 된 듯 동시에 울려대기 시작한 겁니다.

대단했습니다. 이 상황실에 쏟아진 재앙의 규모는 통계에서 찾아볼 수 있는데, 평균 하루, 2000여 통의 전화를 받는 상황실에 그날 하루 3,630통의 전화가 쏟아졌습니다. 특히 지진이 발생한 7시 44분부터 약 30분간 800통의 전화가 왔습니다. 10명이 30분간 전화 800통을 받은 겁니다.

이 통화 내역을 간단히 소개하면 이렇습니다.

"저기유…… 에…… 여기가 충청남도…… ○○시…… ○○군…… ○○면…… ○○리…… ○○번진디……(신고인의 거주지는 모조리 충청도임을 이해해야 한다) 저희 집이 방금 에, 좀 흔들렸는디, 지……"

"네, 지진 맞습니다. 선생님 댁 말고 충남 전역이 다 흔들렸어요. 다친 분 계신가요?"

"없, 없는디유."

"그러면 저희도 상황을 파악중이니 선생님은 뉴스를 보며 일단 안전한 곳에 가 계시면 됩니다."

"저…… 에…… 네……"(이미 지진이란 말은 들었고, 지진은 누구 잘못도 아니며, 크게 다친 곳도 없으므로 더이상 할말이 없다.)

이 20초짜리 전화만 30분에 800통이 쏟아졌던 겁니다. 그후로도 500통이 더 쏟아져 충청남도의 이번 지진 민원은 1,300통으로 집계되었습니다. 수보대원들이 목이 쉬도록 전화를 받고 나자 충청남도의 총 지진 피해 규모가 집계되었습니다. 이번 지진이 충청남도 전역에 끼친 피해는 전혀 없었습니다.

살던 집이 흔들리자 119에 신고한 수많은 도민들을 충분히 이해할 수 있습니다. 일단 당장 이것이 지진인지, 아니면 무슨 폭발 때문인지 알 길이 없어 불안했을 테니까요. 또 뉴스 속보를 접할 수 없는 곳도 분명 있었을 겁니다. 무슨 일인지 모르는 상황에서 생각나는 곳이 119밖에 없었겠지요. 119의 존재 이유란 그런 것이고, 그래서 이 쏟아진 전화들은 119가 제법 신뢰를 획득하고 있다는 방증 아니겠습니까. 여담으로, 퇴근하고 집에서 쉬고 있던 수보대원 하나도 자기 집이 진동하자 당장 119에 신고해야 하나 하는 생각이 들었다네요.

하지만 제가 유심히 지켜본 것은 난데없이 지진을 겪은 사람들의 당연한 절박함이 아니었습니다. 그것은 마치 지진이 났노라고 거꾸로 재난본부에 알려주는 듯한 전화를 30분 안에 800통 받고서 아버지를 아버지라 부르는 것처럼, 지진이 지진이 맞노라 반복해서 외쳐야 했던 수보대원들의 치열한 직업 세계를 엿본 것이라고 해야 할까요. 심지어 자신들도 지진을 겪고 어리둥절해하는 상황이었는데 말입니다. 그래서 저도 그전에는 지진이 발생하면, '아, 지진이 지나갔구나' 하고 가볍게 생각했지만, 앞으로 지진을 목격한다면 어느 가을밤 흡사 전쟁통을 방불케 했던 상황실과, 입안이 쩍쩍 말라갈 수보요원들을 떠올릴 겁니다. 그날밤은 그래서, 저에게 타인의 직업적이고 전문적인 세계를 목격한, 제법 빛나는 밤이었습니다.

'밭갈이'를 아시나요?

'의학용어'를 병원에서 의료인이 사용하는 단어라고 정의한다면, '밭갈이'라는 단어도 의학용어일 겁니다. 밭이랑이나 그루 사이를 호미나 쟁기 따위로 갈아엎는 작업, 소리 나는 대로 적으면 '바까리'. 이게 어째서 의학용어가 될 수 있는지 익숙하지 않은 분들께는 상당히 의아하게 들리겠지요.

저도 인턴 시절 이 단어를 처음 들었을 때는 왜 선배들이 난데없이 밭이랑을 호미로 갈아엎는 작업을 하는지, 아직 제가 들어보지 못한 'Packarhi'라는 아스라히 먼 이국땅 의학자의 이름이 있는 것인지 의아했습니다. 하지만 인턴의 영민함으로 고찰해보니, 필경 무슨 작업인가를 뜻하는 말이더군요. 그리고 곧 그 실체가 눈앞에 다가왔습니다. 말로만 듣던 '바까리'가 제게 하달된 것이지요.

어느 날 저는 전자우편으로 엑셀 파일을 하나 받았습니다. 엑셀 파일을 슬기롭고 알차게 채워 넣는 방법까지 친절하게 동봉된 서류 였지요. 지금은 잘 기억나지 않지만, 대충 환자의 신상과 키와 몸무게와 발 크기와 내원 일자와 그 간격과 진단명과 혈압과 맥박과 호흡 수와 산소 포화도와 엑스레이와 CT와 MRI와 그 각각의 판독과 받은 처치와 안위 여부와 생존 유무 등을 기록하는 파일이었던 것 같습니다. 정말 거대한 엑셀 파일이었지요. 하지만 그 파일은 환자 번호와 이름 외에는 빈 공간으로 되어 있었습니다. 그 안에 능히 우주라도 삽입할 수 있을 것처럼요.

저는 이 작업을 인턴 특유의 끈기로 시작했습니다. 환자 한 명 한 명의 자질구레한 정보를 규격화해서 엑셀 파일 한 줄에 욱여넣는데 대략 십여 분이 걸리더군요. 하나, 환자의 명부는 끝이 보이지 않을 정도로 길었습니다. 계산해보니 대략 며칠 밤낮이 걸리는 일이더군요. 한숨을 쉬며 몇 시간 동안 지난하게 엑셀 파일을 노려보던 저는 이 단어의 어원을 깨달았습니다. 하얀 엑셀 파일을 줄줄이 채워가는 장면이, 흡사 밭고랑에 쭈그려 앉아 땅을 일직선으로 후벼 파는 농부의 모습과 비슷했거든요. 그래서 의학용어로 '밭갈이'는 '논문이나 서류 작업을 위해 데이터를 만들어 파일로 정리하는 일'을 뜻했던 겁니다.

우리는 마트에서 토마토를 바라볼 때 이 작물을 심기 위해 밭을 가는 과정을 떠올리지 않습니다. 이처럼 이 단어의 용례는, 우리가 논문을 볼 때 결과만을 보지 데이터를 모아서 수치대로 정렬하는 과정을 떠올리지 않는 것과 궤를 같이합니다. '애 본 공은 없는' 것처럼,

논문 작성자를 위해 보이지 않게 뒤에서 밭을 가는 행위인 거지요. 알고 보면 크게 격려받지 못하지만 꼭 필요한 작업을 칭하는 매우 절묘한 작명입니다. 그래서 논문 제출이 많아 갈아야 할 밭이 많은 시즌을 '농번기', 반대 시즌을 '농한기'라고 합니다. 꽤나 센스 있는 작명이지요.

'밭갈이'는 머리통을 막막하게 하는 단순 작업인데다 대부분 엄청난 시간이 소요되지만, 이 분야를 이해하지 못하면 손대지 못한다는 특징도 있습니다. 외부인이 한다고 하더라도 결과를 신뢰할 수 없지요. 자신의 논문 작업을 처음부터 끝까지 자기 손으로 마무리 짓는다면 너무 좋겠지만 그렇게 말처럼 되는 분야가 아니지 않습니까. 그래서 '밭갈이'는 듣기만 해도 머리통에 쥐가 날 것 같은, 의료계의 최하층부를 이루는 이들(흔히 인턴이나 저년차 레지던트를 일컫습니다)에게 아주 고단하고 고약한 단어의 상징입니다. 우리 민족의 '한'이라는 단어와 비슷하다고 보면 될까요.

이 단어를 떠올린 것은 동기의 결혼식에서 최근 병원에 들어가 임상강사가 된 H 형을 만났기 때문입니다. 우리는 오랜만에 만나 서로 근황을 물었고, H 형은 당연히 자신의 고된 삶을 토로하기 시작했습니다.

"말도 마라, 주말 내내 교수님 밭갈이하느라 혼났다. 아직도 전신이 욱신거리고 몸에 힘도 안 들어가."

너무 흔한 넋두리였기 때문에, 전부 의료인이었던 청자들은 고개를 주억거렸습니다.

"요새가 농번기이긴 하지. 임상강사 생활이 그런 것 아니겠어."

우리의 무던한 반응에 H 형은 갑자기 흥분해 강변하기 시작했습니다.

"아니 진짜 밭. 밭 갈았다니까. 흙, 농토를 막 호미로 갈아 옥토로 만드는 그거, 그거 했다고."

"응? 뭐?"

이어진 H 형의 이야기는 이러했습니다. H 형의 담당 교수님은 취미로 서울 근교에 있는 별장 근처에 밭을 가꾸고 계셨답니다. 그런데 지난 주말, 교수님은 같이 바람이나 쐬러 가지 않겠느냐고 자신의 별장으로 H 형을 호출했다고 합니다. 당연히 H 형은 바람처럼 집합 장소로 달려갔겠지요. 도착하니 그곳에는 아직 갈리지 않아 평평한 교수님의 밭이 위용을 드러내고 있더랍니다. 그 밭이 먹먹하게 비어 있는 엑셀 파일 같았다나요.

이윽고 교수님은 구석에 있는 농기구를 가리키더니 "자, H 선생, 시작하지"라고 하셨습니다. 구석에는 밀짚모자부터, 용도를 짐작키 어려운 호미, 가래, 쟁기, 쇠스랑, 써레 같은 기구가 번쩍거리더랍니다. 정확히 3인분으로요. 아마 교수님의 밭갈이 퀘스트의 최대 참가 파티는 전통적으로 3명이었던 모양입니다. 그걸 집어들자, 손끝으로 전임 임상강사들의 삶과 애환이 흠뻑 묻어났다고 합니다. H 형은 결혼식장의 허공을 바라보며 잠시 슬픈 표정으로 회상했습니다.

"그래서 교수님이랑 주말에 팔자에도 없는 밭을 신나게 갈고, 새참으로 막걸리를 퍼마시다가 대리 불러서 간신히 집에 왔지 뭐니."

이 말이 끝나자 주위는 잠시 숙연해졌습니다. H 형은 논문 시즌인 '농번기'에 '밭갈이'를 하다 온 게 아니라, 봄을 맞아 진짜 '농번기'에

흙으로 이루어진 진짜 '밭'을 갈다 온 겁니다. 그래서 우리 모두는 임상강사의 고된 삶에 묵념이라도 하듯 잠시 생각에 잠겨 있었습니다. 저는 여기서 잠시 이 농업 사회에서 주로 사용되던 '밭갈이'라는 단어의 위대함을 떠올렸습니다. 애환이 고스란히 담긴 이 단어는 인터넷이 보급되고, 정보가 홍수처럼 범람하는 지금도 다른 의미의 생명력을 얻어 또다른 곳에서 사용되고 있으니까요. 일하는 자들은 진짜 밭에서, 혹은 모니터 앞에서 여전히 지난한 고충을 마다 않고 밭갈이에 전념하며 불철주야 노력하고 있으니까요.

영민한 외과 인턴의
일

　인턴은 그 과에서 의사가 해야 하는 모든 허드렛일을 도맡아한다. 조직의 막내가 전부 그렇듯이, 일을 잘해도 티는 그다지 나지 않지만 모난 자리는 바로 티가 난다. 그래서 하루 종일 눈치를 보고 있다가 윗사람이 조금의 불편도 느끼지 않게, 잽싸게 별것 아닌 일을 처리하는 것이 인턴의 주 업무다.

　외과 인턴의 업무 중에는 수술방에서 배꼽을 닦는 일이 있다. 복부 수술을 할 때 의사들은 환자를 마취하고, 멸균 장갑을 끼고 뱃가죽을 통째로 소독한다. 그런데 망망한 사람의 뱃가죽에 움푹 들어간 구멍이 하나 있으니, 그게 바로 배꼽이다. 배꼽을 일부러 닦는 사람은 별로 없으므로, 대개 배꼽은 청결 상태가 보통이지만 유독 때가 끼거나 지저분한 배꼽이 있다. 그걸 닦지 않은 채 소독을 시작하면,

온 뱃가죽에 배꼽 때를 문지르는 꼴이 된다. 그래서 외과의사가 소독을 하기 전에 면봉으로 배꼽을 닦아줘야 하는데, 그것이 인턴의 일이다.

방법은 간단하다. 외과 인턴은 수술 시작 전에 비눗물에 적신 면봉 두 개와 마른 면봉 두 개를 들고 대기한다. 마취과에서 마취가 다 되었다는 사인을 받자마자 득달같이 비눗물에 적신 면봉으로 배꼽을 냅다 후비고, 흡족하게 세척되었으면 마른 면봉으로 적셔놓은 배꼽을 후빈다. 뭐, 의사의 일이라기보단 세신사의 일에 가깝지만, 인턴의 일이란 원래 이런 것들이다.

그래서 그날도 나는 환자의 복부를 감상하며 면봉 네 개를 준비해서 들고 환자 옆에 대기하고 있었다. 여느 때처럼 존경하는 치프 선생님께서는 헐렁한 수술복 자락을 휘날리며 건들거리는 걸음으로 수술방에 들어오셨다. 나는 어젯밤의 화려한 회식과 치프 선생님의 활약상을 떠올리며 여전히 결연한 표정으로 배꼽 후빌 준비를 하고 있었다.

환자를 마취하는 동안, 존경하는 치프 선생님은 수술방을 어슬렁거리며 이 사람 저 사람에게 농을 던지셨다. 그러더니 갑자기 면봉을 집어드셨다. 잽싼 인턴이었던 나는 생각했다. '치프 선생님께서 손수 배꼽을 후빌 요량이시구나. 오늘은 숙련된 배꼽 소독의 외과적 기술을 감상할 수 있겠군.' 그래서 나는 누구보다 날래게 손에 들고 있던 면봉을 쓰레기통에 던지고, 다음 동작을 위해 대기하고 있었다.

치프 선생님은 면봉을 칼잡이처럼 꼬나쥐고, 나와 환자 곁으로 다가왔다. 나는 두근거리는 기분마저 들었다. 그 순간 갑자기, 존경하는 치프 선생님이 면봉을 자기 귀에 넣어 후비기 시작했다.

"아오, 시원하네."

나는 멍한 표정으로 치프 선생님을 바라보았다. 때마침 마취과 선생님이 우리 쪽으로 언질을 보냈다.

"환자, 마취되었습니다."

치프 선생님은 오른손으로 오른쪽 귀를 후비느라 오른눈과 오른 얼굴을 찡그리며 멍한 얼굴을 하고 있는 나를 보더니 말했다.

"인턴 선생, 마취가 되었다는데 뭐 하고 있나. 술이 아직 덜 깼나?"

"아, 아닙니다. 바로 닦겠습니다."

그래서 나는 잽싸게 면봉을 다시 가져다가 배꼽을 닦았다. 이 치프 선생님은 제법 영민한 인턴이 그날따라 왜 거기 총기를 잃고 멍 때리며 서 있었는지 아직도 연유를 모를 것이다.

왜 하필 그곳은
양양이었을까

이야기는 지금으로부터 십여 년 전 내가 속해 있던 동아리가 양양으로 무의촌 의료 봉사를 가는 것에서부터 시작된다. 의료 봉사의 요는 이렇다. 동아리 학생들 몇십 명과 현직에서 활동하는 동아리 선배 의사 몇 명이 리 단위의 마을회관을 하나 점거하고 3박 4일간 먹고 자며 생활한다. 그 공간에서 나름대로 진료를 준비해 의료 서비스에서 소외된 마을 사람들에게 진료를 행하는 아름다운 광경을 생각하겠으나, 실상은 지역 사회에 약간의 호의와 방대한 누를 끼치는 것이 주된 취지다. 때는 한겨울이었고, 주축이 된 학생들은 다른 학생들을 통솔하고 동네 이장님의 비호를 받아가며, 선배 의사들과 일정을 조율해 보람찬 의료 봉사가 될 수 있도록 노력하고 있었다.

다사다난한 3박 4일의 일정은 우여곡절 끝에 쏜살같이 흘러가버렸다. 우리는 그간 지내던 마을회관과 작별하고 서울로 돌아가야 했다. 지역 발전을 돕고, 의료 봉사를 하겠다는 일념으로 두메산골까지와 있던 우리 모두는 이미 지역 사회에 고성방가로 인해 폐를 끼쳤음을 인지하고 있어, 더이상 누가 되지 않으려고 최선을 다했다.

모두가 나서서 마을회관을 구석구석 청소했고, 모든 물건을 본래 자리로 돌려놓았다. 그리고 마지막 정리로 구석구석 티끌까지 쓸어낸 결과물과, 그간 의료 봉사에 사용된 물품에서 나온 쓰레기를 전부 봉투에 차곡차곡 담았다. 수십 명이 3박 4일간 먹고 마신데다가, 마을 전체를 진료하기 위해 사용된 물품에서 나온 쓰레기는 그 양이 어마어마했다. 이장님께서 쓰레기를 회관 앞에 모아놓으면 된다고 미리 언질을 주셨으므로, 우리는 그 꽉꽉 눌려 터질 듯한 위용 넘치는 100리터짜리 쓰레기봉투 수십 개를 예쁘게 마을회관 앞에 도열해놓았다.

문제는 여기서 시작되었다. 우리가 머문 자리를 정리하고 서울로 돌아오기 위해 전세 버스를 부를 즈음, 갑자기 후배 한 명이 신대륙을 발견한 듯 소리쳤다.

"근데 선배님, 종량제 봉투가 속초시라고 쓰여 있는데요. 여기는 양양군 아닌가요?"

그 소리에 우리는 모두 아찔한 기분이 들었다. 양양 두메산골로 진입하는 길에 들렀던 시내에서 종량제 봉투를 넉넉히 사왔는데, 그곳이 하필 속초였던 것이다. 서울 무지렁이였던 우리는 아무도 그 사실을 눈치채지 못했다. 그러다 하필, 떠나기 직전에 그것을 깨달은 것이다.

비상대책위원회가 열렸으나, 결론은 어차피 같았다. 우리의 취지는 지역 사회에 득이 되고 최대한 누를 끼치지 않는 것이었으므로, 수거되지 않을 쓰레기를 잔뜩 내놓고 가는 일은 단체의 성격상 용납할 수 없었다. 결국 우리 중 유일하게 차를 가져온 친구가 100리터짜리 종량제 봉투를 양양군 어디서든 구해와야 했다. 워낙 두메산골이라 그렇게 많은 쓰레기봉투를 구하는 데 오래 걸렸고, 심부름을 맡았던 친구는 거의 한 시간이 넘어서야 봉투 한 다발을 가지고 돌아왔다. 한겨울에 식은땀을 흘리며 차에서 내린 그는 산을 몇 개 넘고 물을 몇 개 건너야 했다며 구시렁댔다.

우리는 얼어붙은 맨손으로 꼭꼭 봉해놓은 봉투를 풀어헤치고 3박 4일 동안 먹고 마신 흔적이 담긴 쓰레기를 다시 꺼내 한 아름씩 다른 쓰레기봉투에 옮겨 담았다. 그 자체가 대단히 고역이었다. 사람이 많아 일은 오래 걸리지 않았지만, 눈 쌓인 두메산골 자락에서 일군의 집단이 쓰레기를 꺼내 꾸역꾸역 다시 담는 장면은 가히 장관이었다.

하지만 여기서 또 문제가 생겼다. 기존에 꽉꽉 눌러 담은 쓰레기를 다시 옮겨 담은데다가, 속초시 소속 쓰레기봉투 또한 쓰레기가 되었으므로 사온 봉투가 모자랐던 것이다. 결국 몇 명의 호기로운 학생들이 어떻게든 한정된 봉투에 쓰레기를 옮겨 담기 위해 고군분투했지만, 쓰레기와 더욱 친밀해졌다는 것 외에는 별다른 소득이 없었다. 비상대책위원회가 다시 발동되었으나 다른 방도는 '당연히' 없었다. 이전에 심부름하러 갔던 친구는 처음부터 쓰레기와 봉투의 양을 가늠하고 있다가, 울상을 짓고는 다시 봉투를 사러 나가야 했다. 우리는 하릴없이 손가락을 빨고 있었고, 더불어 아까부터 도착해 이 기괴한 잔치를 지켜보고 있던 버스 기사님도 울상이 되어 우리를 기다렸다.

결국 이번에는 한 시간이 안 되어 쓰레기봉투가 도착했다. 학생 중 한 명은 속초시와 양양군의 쓰레기봉투를 대거 구매해서 결국 지역 경제 발전에 일조하게 된 것 아니냐고 비아냥댔다. 안식처를 잃고 바닥에 널브러져 있던 쓰레기는 득달같이 새로운 봉투에 담겨 그럭저럭 정리가 마무리되었고, 운영진과 학생들은 이렇게 떠나기 힘든 곳이 있었던가 혀를 내둘렀다. 하지만 미적으로 완벽하게 정렬된데다가, 양양군의 마크가 당당하게 새겨진 우리 작업물의 위풍당당한 모습에 우리는 의료 봉사보다 더 감격적인 임무 완수의 뿌듯함을 느꼈다.

드디어 우리는 '진짜로' 이곳을 떠나기 위해 그동안 보살펴주신 이장님께 인사를 드리러 갔다. 3박 4일간 정이 들었으므로 이장님 또한 학생들과 일일이 작별 인사를 나누고 싶어하셨고, 그간 우리가 사용한 회관도 점검할 겸 우리가 있는 마을회관까지 오시겠다고 했다. 우리는 이장님이 오신다는 소리를 듣고, 우리가 기어코 이룩해낸 쓰레기 작업을 눈앞에서 점검받을 수 있겠다는 생각에 자랑스러운 마음을 안고 기다렸다. 농약 이름이 새겨진 모자를 쓴, 주름이 자글자글한 칠십 대 이장님은 터덜터덜 회관 앞에 도달해서 가지런히 정렬된 예술작품을 보더니 한마디 던졌다.

"아이고, 뭔 쓰레기를 이리 간종그리게 담아놨드래요."

이장님은 마을회관의 상태를 확인하지도 않고, 갑자기 옆에서 검불을 모아 군불을 지피기 시작했다. 이장님의 불 때는 솜씨가 워낙 능숙했던지라 군불은 삽시간에 훨훨 타올랐다. 우리는 이장님이 추위를 타서 그러시는 줄 알고 그의 행동을 유심히 지켜보았다. 불이 어느 정도 일어나자, 이장님은 갑자기 쓰레기봉투의 머리채를 잡아채더니 불구덩이로 하나씩 던져 넣기 시작했다. 그랬다. 이 동네에선 아무도 종량제봉투를 쓰지 않았던 것이다. 이 두메산골의 쓰레기 처리 방법은 매우 상식적이었으나, 다만 우리의 상상 밖에 있었다.

우리는 말릴 새도 없이 그 광경을 지켜보며, 커다란 봉투가 지옥불 같은 구덩이로 한 개씩 떨어질 때마다 알 수 없는 신음소리를 냈다. 우리가 3박 4일간 남긴 모든 것과, 그를 정리하기 위한 노력, 또 강원도 일대에서 애써 사 모은 종량제 쓰레기봉투가 싸그리 불타버리고 있었다. 그 육중한 쓰레기 덩어리는 마치 슬로모션처럼 허공으로 살포시 떠올랐다가, 불구덩이 속으로 하나둘씩 곤두박질쳤다. 마치 우리가 그간 세상에 품어왔던 편견을 박살 내버리는 것 같았다. 그 허탈한 시선들 속에서, 우리의 상식과 상념을 태우는 검은 연기는 어느덧 두메산골 사이로 소록소록 피어나기 시작했다. 그리고 그 매캐한 흔적은 서울로 올라가는 우리 모두를 비호하듯 오래도록 파란 창공에서 흩날리고 있었다.

소방본부의
의사

어른들은 유치원에 다니는 아이를 만나면 장래 희망이 뭐냐고 묻
곤 한다. 돌이켜보면 진짜 궁금해서 묻는 것인지, 아니면 일종의 희
롱인지 어른이 된 지금도 잘 모르겠다. 여하간 나는 그 틈바구니에서
신념을 가지고 꼭 한 가지 직업만 대답했으니, 그것은 바로 소방관이
었다. 불장난이 재밌으니 불을 끄는 것도 재미있겠다고 생각했던 모
양이다. 게다가 소방차는 빨갛고 크고 물줄기도 쫙 나가고 멋있지 않
은가. 유치원에서 나는 빨간 소방모와 소방복을 착용하고 물줄기를
쏴대는 20년 후의 내 모습을 마구잡이로 그려댔다.

하지만 장래 희망이라는 것이 늘 그렇듯 그것은 한때 겪었던 열병
처럼 잊히고 만다. 그래서 그냥 공부만 하다가, 어떻게 보면 소방관과
가장 적대적인 직업을 가지게 되었다. 밤새 당직을 서며 병원 현장에

있는 응급의학과 의사로서 환자를 싣고 밀려드는 소방관들이 그렇게 미울 수가 없다. 그것은 늘 급박한 상황에서 사건이나 사고가 또 일어났음을 의미하는 것이니까. 많은 의사들이 길을 가다 소방차 소리를 듣거나 그 불빛만 보고도 흠칫 놀라는 것에는 그런 이유가 있다. 그런 내가 응급실을 떠나 일하게 된 곳은 다름아닌 소방본부였다.

소방본부 소속이 되고 보니, 자연스레 소방관에 대한 미움이 눈 녹듯 사라졌다. 원래 세상 모든 것은 이렇게 열병처럼 왔다가 가는 법이라는 듯. 그리고 소방본부에서 평화롭게 맡은 바 일을 하던 나는 어느 날 평생 멀리서 바라만 봐도 깜짝깜짝 놀라던 소방복을 지급받았다. 소방본부에 단결감을 고취하기 위해 소속 의사에게도 소방복을 입히겠다는 것이 센터장의 취지였다. 그날부터 나는 주황색 바탕에 대한민국 국기와 계급장이 붙어 있고, 보기만 해도 전부 신속하게 이송해버릴 것 같은 단호한 필체의 119가 선명하게 쓰인 소방복을 입고 출퇴근하게 되었다.

알다시피 나는 소방관이 아니다. 본업은 의사고, 글을 쓰는 사람이기도 하다. 하지만 제복이 주는 느낌은 신묘해서 보통 사람이라도 하얀 가운을 입으면 꼭 환자를 진료하는 시늉이라도 내거나, 심지어 누군가의 머리칼이라도 한번 잘라야 할 것 같은 느낌이 드는 것처럼, 소방복을 입은 나는 영락없이 동네 소방관의 자태를 갖추고 있었다. 실제로는 소방관이라는 인식도 없고, 이미 직업이 두 개나 더 있고, 심지어 불을 보면 뜨거울 것 같다는 생각만 드는데도. 나는 시골 마을에서 갑자기 소방관 대접을 받게 되었다. 유아기에 장래 희망을 소방관으로 써낸 업보가 서른네 살의 나에게 영향을 미친 거라고 생각하면, 인생은 역시 참으로 흥미롭다.

시골 마을에서 출퇴근하는 나는 소방복을 입은 채 손에 책 한 권을 들고 동네를 횡단했다. 밥도 동네 나와서 혼자 먹고, 혼자 책에 머리를 파묻고 휘적거리면서 걷는 좀 눈에 띄는 소방관이었다.

그러던 어느 날 책을 들고 신호를 기다리고 있었다. 한적한 거리라서 나는 책을 읽다가 차가 지나가면 길을 건너리라 생각했다. 그런데 저 멀리서 내 쪽으로 다가오던 차가 갑자기 지나치게 차분하게, 속도를 비정상적으로 줄이더니 내가 먼저 건너기를 바라는 듯한 위치에 서는 것 아닌가. 나는 조금 당황해 책에서 눈을 떼고 주위를 둘러보았다. 주변에는 나밖에 없었다. 순간 깨달았다. 이 소방복 때문이구나.

생각해보니 내가 운전하는데, 경찰복을 입은 사내가 시골길을 건너려고 하면 어떤 느낌이 들까. 왠지 죄짓고 살지 말아야겠다는 일념으로 이쁘게 그 앞에 멈춰 서고 싶지 않겠는가. 하지만 의사 가운을 입은 사내가 시골길을 건너려고 하면 어떨까. 쟤는 왜 환자는 안 보고 길거리에 있느냐고 생각하며 그냥 액셀러레이터를 밟아 쌩하고 건널 것이다. 소방관은 아마 그 중간쯤 되려나. 공권력은 없을 것 같은데 왠지 있을 것도 같고, 뭔가 구하러 가는 것 같기도 하고, 길을 비켜주면 제법 착한 일을 하는 것 같지 않은가. 일 없는 소방관인 나도 길에 서면 무언의 권력을 부여받는구나. 적어도 의사나 작가에게 차가 길을 비켜주지는 않으니 말이다. 그래서인지 가끔 소방복을 입고 내 차를 운전할 때도, '대한민국소방'이라는 번뜩거리는 마크가 달린 주황색 소방복 팔을 보이면 옆 차가 무엇인가 납득하는 몸짓으로 차선을 양보한다. 또 가끔은 멍청하게 길을 가다 동네 사람들에게 이런 질문을 받는다.

"아이고, 환자가 있습니까?"

물론 나는 매번 이렇게 대답한다.

"아뇨, 집에 가는데요."

하여간 이게 병원에서 사람을 구하는 사람에 대한 인식과 현장에서 사람을 구하는 사람에 대한 인식 차이라고 생각하니 재미있게 느껴졌다.

소방본부에서 나와 동네 식당에서 잠깐 밥을 먹던 어느 날, 부대찌개가 너무 먹고 싶어서 혼자 식당 자리에 앉아 부대찌개 1인분을 주문했다. 그런데 예로부터 부대찌개는 좀처럼 혼자 잘 먹지 않는 음식 아닌가. 그래서인지 오지랖이 넓은 아줌마가 내게 물었다.

"아유, 소방관이세요?"

"소방본부에서 일하긴 합니다."

"그럼 소방관이네요. 근데 혼자 오셨어요?"

소방복을 입고 소방본부에서 일하는 사람이 전기공이나 배관공이겠는가. 나는 이 논리에 납득할 수밖에 없었다.

"네, 그런 셈이죠. 혼자 왔어요."

"왜 소방관 친구들은 데리고 오지 않으셨어요?"

"소방관 친구는 없고 항상 혼자 밥을 먹는데요."

아주머니는 소방관이 소방관 친구가 없다니, 아주 재미없는 농담을 들은 표정이었다.

"아니, 소방관이 친구도 없이 혼자 다니면 어떻게 해요. 그럼 여기 불나면 혼자 꺼요?"

"저는 불 못 끄는데요. 그건 소방관이…… 아, 여하튼 저는 불 못 꺼요."

부대찌개집 아주머니는 뭐 이런 싱거운 농담을 연작으로 던지는 소방관 다 보겠다는 표정이었다. 이게 소방관 사이에서는 진짜 웃긴 농담인데, 자신이 눈치 없이 못 웃는 건지 내심 애매한 모양새였다. 그러곤 대답했다.

"아유, 용감하게 잘 끄실 거면서. 서비스로 사리를 드릴 테니 잘 드시고 가세요."

"음…… 아, 네."

그날 그 집의 부대찌개는 제법 맛있었지만, 왠지 그날 이후 다시는 발걸음이 향하지 않았다.

이 시골 아파트 단지에는 아이들이 많아 엘리베이터를 타면 아이를 포함해서 어른들끼리도 서로 인사를 하곤 한다. 나는 이런 분위기를 매우 좋아해서 매번 먼저 인사를 건네고, 아이들에게도 살갑게 인사한다. 하루는 출근하려는데 대여섯 살짜리 딸아이와 동행한 엄마가 엘리베이터에 탔다. 나는 아이들을, 그것도 이제 갓 말문이 트인 아이들을 너무너무 좋아해, 아이에게 나름대로 찬란한 미소를 지어보였다. 아이는 약간 어리둥절한 표정으로 나를 올려보았고, 아이 엄마는 그 시선을 눈치챘는지 아이에게 다정하고 장난스러운 말투로 말문을 열었다.

"예린아, 뽀뽀뽀뽀 아저씨다, 뽀뽀뽀뽀뽀뽀뽀뽀뽀뽀."

뽀뽀뽀뽀 아저씨! 충격적이었다. 순간적으로 나는 정신이 혼미해졌다. 그러나 여기서 다시 말하지만, 나는 장래 희망에 소방관을 적어낸 바 있고, 아이들을 몹시 좋아하며, 아이를 조금도 실망시키고 싶지 않았다. 그래서 어딘가에서 본 대로 양손을 머리통 위로 올려 반짝반짝 흔들면서 나름 찬란한 미소를 더욱 찬란하게 유지하며 답했다.

"그래, 아저씨 삐뽀삐뽀삐뽀삐뽀삐뽀."

아이는 어떤 생각을 했는지 모르겠지만 조금 호기심이 동했는지, 나를 보고 조그마한 액션을 선보였다.

"삐뽀삐뽀 아저씨, 불자동차 부릉부릉부릉부릉부릉."

이제 와서 멈출 수는 없어 나는 즉시 엄청 바보 같은 몸짓으로 운전하는 시늉과 무엇인가 큰 차를 표현하는 자세를 고수하며 답했다.

"아저씨 불자동차 윙윙 부릉부릉부릉부릉부릉~"

이제 아이는 본격적으로 호기심이 동했는지 엄마 손을 놓고 짧은 팔로 나름대로 큰 액션을 취하며 좁은 엘리베이터에서 소리 질렀다.

"아저씨 불끈다, 쫘아아아아아아~"

나는 불을 끄기는커녕 소방 호스 한번 잡아본 적 없지만, 이미 이 연기에 몰입해 당최 뵈는 것이 없었다. 결국 필사적으로 호스를 붙들고 불길이 넘실대는 5층 건물에다 물길을 쏘는, 약간 기타를 연주하는 것 같기도 한 동작을 취하며 소리쳤다.

"불끈다, 아저씨가 쫘아아아아아아~"

순간 딩동, 하며 엘리베이터 문이 열렸다. 멀뚱하게 서 있던 중년 부부가 저렇게 해서 불을 어떻게 끄느냐는 표정으로 나를 바라보았고, 아이 엄마는 굳은 표정으로 나에게 목례를 한 뒤 아이의 손을 잡고 휙 나갔다. 나는 방금 전의 열정이 갑자기 가라앉은 채 헛기침을 했다.

"쿵쿵. 네, 좋은 하루 보내세요."

이윽고 나는 누가 시키지도 않았는데 차렷 자세로 서서 식은땀을 닦았다. 엘리베이터 문은 오늘따라 느릿느릿 닫혔다.

죽음은
평등한가요?

죽음이 평등하다고 생각하냐고요…… 음, 일단 두 가지로 나누어
서 말씀드리겠습니다. 애초에 의학은 과학입니다. 과학에선 모든 것
이 수치화되고, 도식화되며, 계량화되어야 합니다. 죽음도 마찬가지입
니다. 유사시부터 수많은 의학자들은 죽음에 이르는 과정과 실제 결
과를 대조하며 연구해왔습니다. 그 결과 현대 의학은 죽음을 예견할
수 있는 놀라운 능력을 획득하게 되었습니다. 병원에서 의사 가운을
입고, 현대 의학의 첨병이 되어 바라보면 죽음은 지극히 평등합니다.
이런 이야기를 해보지요.

여느 때처럼 응급실에서 근무하던 새벽, 죽음을 바라본 한 학생이
저에게 물었습니다.

"선생님, 사람은 언제 죽게 되나요?"

매우 흔하고, 포괄적이고 구체적이지 않아 좋지 않은 질문이라 저는 여느 때처럼 학생을 꾸짖을 준비를 했습니다. 그러다 문득 생각났습니다. '근데 정말로 사람은 언제 죽게 되지?'

그래서 저는 그 학생을 조용한 의국으로 데려가 강의를 시작했습니다. 그때까지도 많은 죽음을 선고했지만, 포괄적으로 죽음에 이르는 바에 대해서 정리해본 적은 없었던 거지요. 저는 죽음에 대해서 과학적으로 입증되었고, 또 개인적으로 죽음을 선고하며 느꼈던 순간을 머릿속에서 하나하나 펼쳐 이야기를 시작했습니다.

"기본적으로 쇼크가 사람을 죽게 하는 것이다. 모든 쇼크는 순환성, 신경성, 저혈량성, 아나필락시스항원-항체 면역 반응이 원인이 되어 발생하는 전신 반응, 그리고 셉틱패혈성의 다섯 가지 형태 중 하나로 정의될 수 있다. 다시 말하면, 돌이킬 수 없는 이 다섯 가지 쇼크가 오면 인간은 무조건 죽는다. 심정지에 맞닥뜨린 의사는 이 환자의 쇼크의 종류가 무엇이고, 과연 돌이킬 수 있는지 판단해야 한다. 예를 들어 머리가 부서진 사람은 신경성 쇼크이고 대체로 되돌릴 수 없다. 팔다리가 전부 끊어진 사람은 저혈량성이며 되돌릴 수 있다. 심장마비는 순환성이고 되돌릴 수 있다. 말기암은 복합적이지만, 상황에 따라 되돌릴 가능성이 있다.

이들을 포함해 되돌릴 수 있는 심정지를 유발하는 요인으로는 6H, 5T의 열한 가지가 있다. 바로 저산소, 저체온, 저혈당, 저혈량, 전해질, 산증인체의 혈액이 산성인 상태, 기흉, 심장압전심장이 외부의 요인으로 눌리는 상태, 혈전, 외상, 독성이다. 이 말은 거꾸로 이 열한 가지가 사람을 죽일 수 있다는 뜻도 된다. 심정지 원인이 파악되지 않는다면, 의사는 이 열한 가지 사항을 전부 염두에 두고 해결책을 강구해야 환자의 목숨을 살릴 수 있다. 하지만 단순히 이 열한 가지 중 하나를 찾는다고 해서 해결되는 일은 없다. 두세 가지가 겹치기도 하고, 이 사항을 일으키는 상황의 근원까지 찾아서 해결해야 하기 때문이다.

하지만 여기까지도 탁상공론에 불과하다. 손상을 입으면 즉각 심정지를 일으키는 뇌나 심장 말고도 인체에는 간, 신장, 비장, 이자, 긴 소화관과 그외 여러 부속 장기들이 있다. 이 구조 하나하나가 어느 정도 손상을 입었을 때 어떤 문제를 일으켜 생명을 위협하는지는 의학적으로 명백히 밝혀져 있다. 심지어 유기적으로 연결된 각 장기가 동시에 망가졌을 때, 연관적으로 일어나는 손상과 이를 예측할 방법이 있고, 인간이 견딜 수 있는 수치의 한계 및 종합적인 상황을 판단할 수도 있으며, 이를 다섯 가지 쇼크와 열한 가지 죽음의 이유와 결부시킬 수도 있다. 이 사항에 대해서는 추가적인 공부와 경험이 필요하다. 그러면 곧 죽음을 볼 수 있는 눈을 지니게 된다."

강의는 대략 이런 내용이었습니다. 학생은 갑작스럽고 장황한 설명에 좀 어리둥절했을 겁니다. 이것은 학생에게 하는 강의라기보다 나에게 하는 강의에 가까웠으니까요. 하여간 의학을 먼저 배운 선배가 할 수 있는, 지극히 과학적인 과학자로서의 강의였습니다. 저는 스스로도 조금 놀랐습니다. 어느새 저에게 죽음은 의학적으로 완벽히 정리된 상태였으니까요. 이런 식으로 병원에 근무하면, 죽음은 이 공식하에서 완벽히 평등합니다. 누구도 의학자가 정리해놓은 경험과 공식을 벗어날 수 없지요. 예외가 발생하더라도 이것은 의과학에서 일어날 수 있는 예의 범주에 속하게 됩니다. 이 공식에는 남녀노소가 따로 없습니다. 병원에 누운 인간에게 적용되는 물리법칙은 의학뿐이거든요. 누구든 고귀한 신이 정한 범주를 넘어가면 죽는 게임입니다. 저는 한낱 개인인 저조차 예측할 수 있는 이 죽음이 의학자로서 참으로 불쾌할 정도로 평등하다고 생각해왔습니다.

하지만 부끄럽게도 저는 글을 쓰는 사람입니다. 제가 죽음을 평등하다고 못박아놓고 살아왔다면 처음부터 글을 쓰지 않았을 것입니다. 의사는 병원 안에서 살다시피 하지만, 환자는 병원에서만 사는 것이 아닙니다. 환자는 당연히 일생 대부분을 병원 바깥에서 살다가 예기치 않게 병원으로 내원합니다. 하지만 직업상 매일같이 쏟아지는 환자들을 바라보다보면 의사는 죽음의 우연성에 관해 마비되기 쉽습니다. 하루에도 몇 건의 죽음을 과학적으로 설명하고 기계적으로 처리하는 사람들이니까요.

저는 그 틈바구니에서 어쩌면 당연한 법칙을 떠올립니다. 지하철에서 떨어진 노인이 두 다리만 잘리고 살아난다든지, 같은 높이에서 떨어진 남매가 한 명은 살고 한 명은 즉사하는 일, 쉽게는 오늘 죽을 것 같았던 말기암 환자가 간신히 내일 죽는 일 같은 것들. 인간사에서 가장 극적인 죽음을 한낱 물리법칙으로 설명하는 것이 가능한가요. 죽음은 그 횡포하고 잔인한 이미지와 놀라운 급작성, 현존 여부와 직결되는 슬픈 성질 때문에 유사 이래 계속 극화되고 신격화되어왔습니다. 죽음은 처음부터 도저히 평등하다고 언급될 수 없는 성질을 가졌습니다.

애초에 '죽음은 누구에게나 평등한가'라는 질문이 생긴 것은, 모두가 죽음을 평등하지 않다고 생각한다는 방증이라고 생각합니다. 인간이 일제히 한날한시에 태어나 동시에 죽지 않는 한, 죽음에 관한 난상토론은 계속될 것입니다. 또 어차피 죽음이란 결국 피할 수도 예측할 수도 없는 종류의 것이라면, 처음부터 죽음의 평등함에 대한 이분법적 질문은 무의미한 것 아닐까요? 그럼에도 그 당연한 질문이 제 안에서 자꾸만 고개를 듭니다. 그렇기에 저는 오늘도 이렇게 죽음에 관해서 쓰고 있습니다.

'매끄러운 뇌'를 가진
열한 살 아이

한창 혼잡한 응급실 접수 창에 한 환자의 이름과 신상 정보가 올라왔다. 열한 살, '설희'라는 예쁜 이름의 아이였다.

아이는 그 이름의 주인공이 자신이라는 듯 곧 119 카트에 실려왔다. 좁은 카트가 익숙한 듯 누운 채 실려온 아이의 몸은 삐쩍 마르고 왜소해, 도저히 열한 살로 보이지 않았다. 게다가 사지의 끝이 오므라들어 손으로는 무엇도 잡을 수 없고, 발로는 땅조차 제대로 디딜 수 없어 보였다. 마르고 비틀린 몸도 한눈에 띄었지만, 모두의 시선을 잡아끈 것은 잘 익은 제철 수박보다도 훨씬 커다랗고 둥근 아이의 머리였다. 보통 성인 머리 크기의 두 배 정도는 됨직했다. 눈, 코, 입이 얼굴 가운데에 몰려 있고 정수리 부근이 아주 크게 부풀어 있어서, 멀리서부터 아이의 머리가 유난히 두드러져 보였다.

설희를 가까이서 마주했을 때, 풍선같이 부푼 머리통에 마르고 가느다란 육체는 기괴한 느낌마저 주었다. 스스로 완전한 숨을 한 번도 쉬어보지 못한 듯 목 한가운데에 호흡을 위한 튜브가 꽂혀 있었고, 배에도 영양 공급을 위한 튜브가 꽂혀 있었다. 뱃가죽 한가운데 푹 꽂힌 튜브 주변이 빨갛게 헐어 있는 것으로 보아 상당히 오랫동안 외부에서 위로 직접 음식물이 공급됐음을 알 수 있었다. 머리와 몸, 그리고 전반적인 상태로 판단하건대, 전형적인 선천적 신경계 질환 환자로, 오랜 기간 투병해온 것 같았다. 그러나 평생 같은 상태로 살아가는 것을 투병이라고 부를 수 있을까. 이것은 그냥 병은 어딘가에 따로 존재하고, 아이는 그 바탕에서 일생을 남들처럼 살아왔다고 불러야 마땅했다.

이런 아이들은 보통 병원을 한 곳만 다니므로, 내원 기록을 찾으면 일생의 대부분을 파악할 수 있다. 나는 전산에서 아이의 이름을 찾아 그간의 차트를 전부 열었다. 컴퓨터가 잠시 버벅대더니, 길고 긴 목록을 뱉어냈다. 'Lissencephaly'. '활뇌증'이나 '뇌회결손'이라고 불리는 진단명이 반복해서 나열되었다. 나는 반사적으로 학생 때 공부하면서 봤던 이미지를 떠올렸다. 일명 매끄러운 두뇌smooth brain, 주름이 쪼글쪼글하게 잡혀 있어야 할 대뇌가 생선의 알처럼 한 덩어리로 뭉쳐진 이미지였다. 선천적으로 이 아이들의 뇌엔 고랑이 생기지 않는다. 그로 인해 어머니의 배 속에서부터 뇌의 기능적인 발달이 전혀 이루어지지 않는다.

뇌회결손 아이가 정상적으로 자라기는 거의 불가능하다. 정신적, 육체적으로 성장 저하를 겪고, 수시로 경기를 하며, 전신의 근육이 심하게 경직되거나 전부 풀린다. 얼굴 표정은 대부분 비틀리고, 대체로 음식물을 삼키지 못하며, 손발 끝에 기형이 생긴다. 신경계의 다른 선천적 질환과 마찬가지로 치료 방법이 없으며, 터무니없이 짧은 시간 동안만 생을 유지한다. 전산상에는 기침이나 미열 같은 사소한 진료 기록들과, 반복된 입퇴원 기록이 과부하가 걸릴 정도로 많이 떴다. 나는 빠르게 그것들을 뒤져 대략적으로 파악했다. 그리고 실재하는 환자를 보러 나섰다.

아이 옆에는 푹 늙은 기색이 완연한데다 한눈에도 매우 완고한 성격으로 보이는 할아버지가 서 있었다. 아이의 혈압과 체온, 심박수 등 기본 생체 징후를 체크하는 간호사의 손길을 매우 못마땅한 눈길로 쳐다보고 있어, 베테랑인 간호사도 제법 긴장한 모습이었다. 할아버지는 응급실이라는 곳에 와 있다는 것 자체가 마음에 들지 않는 듯 씩씩댔다. 나는 그 기묘한 분위기를 뚫고 진료를 위해 아이의 침대 가까이 다가섰다. 할아버지가 초면인 나를 바라보는 시선에서 벌써부터 위압감이 느껴졌다.

"어떤 일로 아이가 병원에 온 건가요?"

"낯선 양반이네. 이 병원에 차트가 있어요, 차트. 당신 말고 늘 우리 아이를 진료하던 사람 불러주쇼. 아이한테 손대지 말고."

"응급실에 오셨으니, 나중에 소아과 의사를 부르더라도 일단 응급의학과 의사인 제가 아이의 상태를 파악해야 합니다."

"이놈의 절차, 이놈의 병원, 이 망할 병원은 매번 이게 문제야."

할아버지는 아이의 상태는 이야기하지 않고, 의료진의 멱살부터 잡을 기세였다.

"할아버지는 저를 처음 보시겠지만, 저는 아이가 어떤 치료를 받았는지 기록을 전부 살펴보고 왔습니다. 며칠간의 아이 상태와 병원에 오게 된 경위만 말씀해주시면 소아과 진찰 전에 제가 아이 상태를 미리 파악하고 전달하겠습니다."

기세가 약간 누그러지긴 했지만, 할아버지의 목소리에는 여전히 노기가 서려 있었다.

"변비 때문에 왔소. 변을 볼 시간이 지났는데 아이가 좀체 변을 안 보더라고. 배도 불편해하는 것 같고."

나는 살며시 아이의 배에 손을 대보았다. 어디를 바라보는지 알 수 없을 정도로 뒤틀린 표정의 아이는 그냥 "아아아" 소리만 냈다. 아이는 평생 이 소리만 내며 살아왔을 것이고, 할아버지도 평생 이 소리의 변화만으로 아이를 판단해왔으리라. 할아버지의 염려와 달리 아이의 배는 몰캉했고, 많이 부풀지 않았으며, 장 소리도 크게 나쁜 것 같지 않았다.

아이가 지닌 병으로 인해 전반적인 상태가 처음부터 좋지는 않았으나, 위급한 문제가 있어 보이지도 않았다. 나는 복부 엑스레이 처방을 내리고 소아과 의사를 호출했다. 할아버지는 그동안 구석에 우뚝 서서 지나다니는 의료진과 응급실 허공을 못마땅한 눈길로 쏘아보고 있었다.

호출을 받은 소아과 동료는 곧 응급실로 내려와 아이와 할아버지를 면담했다. 낯익은 얼굴이어서인지 할아버지는 조금 누그러진 표정으로 소아과 주치의와 대화를 나누기 시작했다. 아이를 사이에 두고 둘은 한참 동안 이야기를 나누었고, 진료가 끝나자 나는 소아과 동료를 붙잡고 아이에 대해 물었다.

"활뇌증 환자는 응급실에서 처음 본다. 근데 저 할아버지는 왜 저리 까칠하셔?"

"저 할아버지, 우리 과에선 유명한 분이야. 보통 이 병증의 아기들은 얼마 못 살아. 옛날에는 두 살이면 다 죽었다고 하더라. 그런 설희를 열 살 넘도록 살게 한 사람이야. 할아버지의 정성이 너무나 극진해서 설희가 지금까지 살아 있는 거라는 생각이 들 정도야. 투병 기간이 오래다보니 낯모르는 의료진이 설희를 건드리는 걸 싫어하시고 신경질적으로 반응하는 거야."

"근데 엄마 아빠는 어디 가고 할아버지가 설희를 보는 거야?"

"나도 정확히는 모르는데, 부모가 이혼하면서 나 몰라라 도망가버렸다나봐. 활뇌증 아이는 태어나고 몇 개월까지는 정상처럼 보이다가 점점 발달이 느려지거든. 아이가 정상이 아닌 걸 깨달으면서 부부 사이가 어긋나고, 서로 네 탓 내 탓 싸우다 결국 이혼해버려, 할아버지가 세상에 혼자 남은 손녀를 떠안은 거지. 그후로 할아버지는 자기 삶도 없이 아이만 보고 있어. 매일 기저귀를 갈면서 대소변 받고, 끼니마다 주사기에 유동식을 채워서 튜브로 쏴주고, 욕창이 생길까봐 매시간 자세를 바꿔주고, 저 늙은 몸으로 아이를 번쩍 들어서 휠체어에 옮겨 산책시키고, 아이가 내는 '아아아' 소리를 듣고 아파 보이면 병원에 데리고 가고. 그걸 10년 넘게 했는데 얼마나 힘들겠어. 그래서 우리 과에서는 할아버지가 좀 까칠해도 전부 이해하고 있어."

"음…… 그런데 저 머리는 뇌수종 때문일 텐데, 저 정도로 머리가 커지면 브이피션트VP shunt, 뇌실과 복강을 연결해 머릿속 물을 빼는 수술를 고려해봐야 하는 것 아냐?"

"말도 마. 10년 넘도록 한시도 안 떨어지고 옆에서 설희를 지켜봐
왔으면서 할아버지는 아직도 설희의 뇌가 자랄 거라고 생각하고 있
어. 대뇌에 갑자기 주름이 생기면서 아이가 말을 하고 걸어다닐 거라
는 희망을 가지고 있다니까. 우리가 머리에 관을 꽂는 수술을 하겠다
고 하니까 저 머리가 내일부터 당장 줄어들기라도 할 것처럼 성을 내
며 반대하셨어. 귀한 손녀 머리에 이상한 수술을 하려고 한다며. 물
론 의료진이 설득해서 끝내 수술을 하긴 했지만 기능을 제대로 하지
못해서 결국 지금 상태가 됐어. 그 과정이 보통 아니었지."

소아과 주치의는 잠시 지난날을 회상하다 말을 더 이어갔다.

"그전에는 아이가 음식물을 삼키지도 못해 매번 콧줄로 밥을 줬거
든. 그러니까 코랑 코 안이 온통 헐어서 더이상 줄을 유지할 수 없더
라고. 의료진이 이제 한계에 다다랐으니 위루성형술_{위로 통하는 구멍을 뚫어}
_{직접 영양을 주입하는 법}을 하자고 했을 때도 할아버지는 반대하셨어. 내일이
라도 당장 끔찍하게 헐어버린 코 주변이 싹 낫고, 갑자기 설희가 식탁
에 앉아 수저를 들고 밥을 먹을 것처럼. 결국 더이상 버틸 수 없어서
지금은 위루로 영양분을 공급하고 있지. 그렇게 매번 의료진이 가망
없다고 아무리 설명해도 듣지를 않아. 하여간 대단하신 분이야."

순간 신경질적인 할아버지의 표정이 아이의 상태와 겹쳐 보였다.
그것은 세상에 하나밖에 없는 혈육을 지키기 위한 표정이었다. 나는
하루 종일 누워 있는 설희와 할아버지가 사는 집을 생각해봤다. 곤
히 잠들거나 웃는 듯한 표정을 짓는 설희를 보고 그나마 삶의 위안
을 찾는 할아버지의 모습을. 마주하는 그 몇 장면 말고는 할아버지

는 내내 이 세상에 둘만 남겨진 듯한 기분일 것이다. 말도 통하지 않아 전혀 의지할 수 없고, 자신이 모든 것을 책임져야만 하는 아픈 아이. 무거운 짐을 끌고 나아가고 있으나 앞에서는 폭풍우가 마주 몰아치는 느낌. 그 생활을 10년 넘게 해왔다면 익숙하지 않은 타인에게 무조건 까칠해질 수밖에 없을 것이다. 세상에서 아이를 지킬 사람은 오직 할아버지밖에 없지만 그의 생활조차 녹록지 않은 투쟁의 연속이었을 거라고 생각하니 할아버지의 완고함이 당연하다고 이해되었다.

할아버지와 소아과 주치의는 이야기를 조금 더 나누더니 곧 아이를 입원시켰다. 주치의 말로는 아이의 입원 여부도 대중없다고 했다. 사실 아이의 상태는 매번 고만고만했다. 그저 아이가 하루 종일 내는 언어도 아닌 소리와 몇 가지 표정, 느낌만으로 판단해 할아버지가 아이의 입원 여부를 결정한다고 했다. 입원해도 해줄 것이 특별히 없어 병원에서는 가만히 상태를 관찰할 뿐이지만, 할아버지는 그 곁에서 항상 누구보다 정성스럽게 아이를 지켜본다고 했다.

그날, 응급실 환자가 거의 끊긴 새벽 무렵 나는 낮에 입원한 설희가 잘 지내고 있는지 궁금했다. 또 그 완고한 할아버지가 아이를 어떻게 지키고 있을지 직접 보고 싶었다. 그래서 응급실에 일이 생기면 호출해달라고 부탁한 뒤, 설희를 보기 위해 소아과 병동으로 발걸음을 옮겼다.

아이들이 깊이 잠든 소아과 병동은 매우 고요했다. 나는 설희의 불 꺼진 병실을 찾았다. 그리고 희미한 조명 아래 누워 있는 설희와 안광을 빛내며 그 곁에 깨어 있는 할아버지의 모습을 멀리서 지켜보왔다. 아이는 미동도 없이 잠든 기색이었고, 아이의 심박과 산소포화도는 무료하게 그래프와 숫자를 실시간으로 그려냈다. 할아버지는 늦은 시간임에도 자지 않고 설희의 모습과 모니터 속의 숫자를 두 눈을 부릅뜬 채 번갈아 보고 있었다. 그 표정은 여전히 완고해 보였지만, 어둠 속에서도 손녀에 대한 애정을 느낄 수 있었다. 나는 소아과 스테이션으로 돌아와서 물었다.

"설희 보호자분은 원래 저렇게 밤에 안 주무세요?"

"아, 설희 보러 오셨군요. 할아버지는 항상 거의 안 주무시고 저렇게 아이만 보고 계세요. 저러다 아무리 늦은 시간이라도, 혹은 이른 새벽 시간이라도 아이가 안 좋다고 생각되면 의료진을 마구 호출해요. 좀 귀찮기도 하지만 어쩔 수가 없지요. 저 정성 유명해요."

더이상 물을 것이 없어 나는 고개를 돌렸다. 저 완고함이 아이의 생명을 그토록 오래 붙잡아놓았을 터였다. 그것을 확인한 것만으로 충분했다. 나는 설희가 앞으로도 할아버지의 굳은 비호 아래 잘 지낼 것이라 생각하며 응급실로 내려와, 다른 환자들을 지켰다.

그러고 나서 한동안 그 아이를 잊고 있었는데, 어느 날 우연히 소아과 동료를 응급실에서 마주쳤다. 그는 나를 보자마자 대뜸 설희를 화제 삼았다. 얼마 전 설희가 갑자기 죽었다는 것이었다.

그날도 평소와 다름없이 할아버지는 어둠 속에서 설희와 설희의 생체 징후가 그려내는 모니터 화면을 보고 있었다. 밤이 깊어 모든 것이 안온하고 평화로워 보였다. 깜빡, 깜빡, 정신이 나른하게 가물거렸다. 10년 넘게 피로가 쌓였으니 밤새 한시도 잠들지 않을 수는 없었다. 할아버지는 잠시 풋잠이 들었다. 의식과 기억이 캄캄한 터널을 잠시 지났다. 그러고 나서 눈을 떴을 때 모니터에 10년 동안 한 번도 보지 못한 숫자와 그래프가 떠 있었다. 0이라는 숫자와 가로로 길고 곧게 한없이 평행선을 달리는 심전도. 마치 인형이나 허공과 연결되어 있는 것 같은 모니터 속 표시들.

할아버지는 그 어두운 새벽에 스테이션으로 나와 울부짖었다. 몇 년간 할아버지와 설희를 봐온 간호사들은 사태가 심상치 않음을 직감하고, 설희의 병실로 뛰어들었다. 설희의 큰 머리는 힘없이 침대에 놓여 있었고, 작은 눈과 코, 입은 감겨 움직이지 않았다. 마르고 비틀어진 몸통마저 미동도 없이 축 늘어져 있었다. 그 새벽에, 온 병원 안에 소란스러운 심정지 경보가 울렸다. 잠들어 있던 의료진마저 깨어나 설희에게 달려갔다.

같은 병실의 보호자들이 전부 일어나 사태를 지켜보았다. 패닉에 빠진 할아버지는 흰 가운을 입은 의사들 사이에서 더 처량하고 쪼그라들어 보였다. 의사들은 목에 있는 구멍에 풍선같이 커다란 엠부를 연결해 있는 힘껏 짜면서 설희의 연약한 몸 옆에 무릎을 꿇고 아이의 심장을 부서질 듯 눌렀다. 할아버지는 그렇게 하지 않으면 아이가 무조건 죽는다는 사실을 알면서도, 아이의 흉부가 무너져나가는 꼴이 눈앞에서 펼쳐지자 말리고 싶은 마음에 손끝을 머뭇거렸다. 그러곤 시선을 돌려 바닥과 천장을 번갈아 바라보며 흰 가운들 사이에서 극도의 초조함으로 서성댔다.

"할아버지! 설희는 지금 심정지 상태입니다. 설희의 뇌가 온전치 않은 건 아실 거예요. 그래서 심정지가 오면 뇌에 저산소증이 오는데, 온전치 않은 뇌는 이걸 거의 견뎌내지 못해요. 저희가 최선을 다해볼 텐데, 일단 설희가 살아나기는 힘들다고 생각하셔야 해요."

"왜, 왜 우리 설희가, 곧 건강해져야 할 설희가, 왜 이렇게 된 거요?"

"잠들기 전까지는 모든 게 안정적이었으니, 이런 경우는 보통 호흡이 막혀서 생기는데, 혹시 밤새 호흡관이 막힐 일 같은 거 없었나요?"

순간 할아버지는 전신이 굳으면서 오한이 들었다. 지난밤, 뱃가죽에 흘린 유동식을 닦던 노란 손수건이 눈앞에서 나풀거렸다. 그게 잘 기억나지 않는 어딘가에 올려져 있었다. 그리고 새벽녘 희미하게 들리던, 조금 쌕쌕대며 불편해하던 설희의 모습. 그것 때문이었나. 성기게 짜인 작은 노란 직물 한 장이, 그게 폴랑거리며 어딘가로 내려앉아, 우리 설희를 죽였나.

"그 손수건이…… 손수건이……"

"일단 단정할 수는 없어요. 아이는 이 병을 앓는 다른 아이들에 비해 정말 오래 살았어요. 무슨 일이 벌어져도 이상하지 않은 일일 거예요."

"10년을 키웠는데…… 그 손수건이……"

설희는 곧 짧은 생을 마감했다. 0과 평행선의 행렬은 정상으로 돌아오지 않았다. 할아버지는 그간 행복했고 지금이 유일하게 슬픈 순간이라는 듯, 너무나 서럽게 울었다. 이젠 죽어서 축 늘어지고 오그라든 설희의 팔다리를 붙든 채, 자기 머리보다도 훨씬 큰 설희의 머리와 얼굴을 맞대고 온 병동이 떠나가도록 울부짖었다. 그 모습이 보호자나 다름없던 의료진과, 새벽잠에서 깨어난 옆 침대의 아이들과 보호자들까지 전부 눈시울을 붉게 만들었고, 너무나 처절한 광경에 결국 사람들은 보다 못해 고개를 돌렸다.

마침내 아침이 왔고 설희의 몸 위로 하얀 포가 덮였다. 하얀 옷을 입은 직원은 설희가 누운 침대를 밀고 영안실로 내려갔다. 이제 울 기력도 없어 보이는 할아버지는 주치의와 눈이 마주치자 기력 없는 목소리로 혼잣말처럼 중얼거렸다.

"나는 설희가 죽으리라는 것을 믿을 수가 없었어. 근데 휠체어에 아이를 태워서 돌아다니면, 사람들이 보고 깜짝깜짝 놀라. 내가 몰랐을 것 같아? 병원에서 아이가 가망 없다는 말을 듣고 나 혼자 가망 있다고 생각했을 줄 알아? 나도 다 알았어. 우리 설희가 남들 보기에 불편하게 생기고, 이 병에 가망이라고는 없다는 거. 하지만 머리로는 이해되어도 마음으로는 이해되지 않는 게 있어. 이 아이는 나에게 유일한 희망이었거든. 누가 자기 희망을 접을 수 있겠나. 이 아이가 얼마나 이쁜데. 나한테 단 하나 남은 가족이자 손녀였는데. 비록 튜브로 밥을 먹지만, 그마저 얼마나 이쁘게 먹었는데. 가끔 웃으면 하늘에서 내려온 천사 같았어. 그 모습만 보고 있어도 모든 걱정이 사라지곤 했지. 근데 이렇게 설희가 싸늘하게 죽어 있으니까, 실제로 죽었다는 소리를 들으니까, 이제야 알겠어. 설희는 진짜 죽었구나. 이게 꿈이 아니라 현실이구나. 나는 그래도 인생을 통틀어 설희를 돌보고 사랑했어. 사랑받는 아이였으니까 설희는 행복했을 거야. 하늘나라에서도, 행복할 거야."

할아버지의 말은 중간부터 울먹이느라 잘 들리지 않았다. 몇십 년 동안 완고한 모습이었던 할아버지가 오열하며 말을 잇지 못하자, 스테이션은 숙연해져 아무도 침묵을 깨지 못했다. 그렇게 할아버지는 소아과 병동을 떠났다.

그후 소아과 의료진이 조금씩 설희를 잊어가던 오늘 아침, 회진을 준비하는 의사들과 임무 교대를 하는 간호사들로 붐비는 소아과 병동에 설희 할아버지가 갑자기 나타났다고 했다. 그를 모르는 사람은 없었으므로, 모두 하던 일을 멈추고 할아버지를 바라보았다. 할아버지는 간식거리가 가득 담긴 편의점 봉지를 두 손에 들고 왔다. 두 손은 묵직해 보였지만, 할아버지의 몸짓은 오히려 가벼워 보였다고 했다. 할아버지는 미소를 지으며 그간 아이를 돌봐준 교수님과 주치의, 간호사에게 일일이 감사함을 표했다. 그 모습에 사람들의 마음이 아릿해졌다고, 그리고 할아버지의 모습이 제법 편안해 보인 것으로 미루어 할아버지의 투쟁도 어느 정도 마무리된 것 아니겠느냐고, 소아과 주치의는 전했다.

땡볕에
갇힌 아이

저는 아빠를 기다리고 있어요. 여기는 좁지만 한없이 익숙한 아빠의 차 안이에요. 저는 늘 눕는 자리에, 늘 눕는 모양으로 아빠가 어서 돌아오기만을 기다려요. 오늘도 아빠는 곧 오실 거예요. 그때까지 저는 움직이지 않고 착하게 자리를 지킬 거예요.

아빠는 '그 일'이 여섯 살 때 일어났다고 했어요. 그전에는 제가 참 활발하고 천방지축인 아이였대요. 돌 무렵이 되자 어떤 아이보다 당당하게 우뚝 일어섰고, 걸음마도 남들보다 훨씬 빨리 시작했대요. 나는 그 시절이 잘 기억나지 않아요. 두 발을 움직여 뛰면 얼굴에 바깥공기가 와 닿던 느낌이나, 풀잎에 앉은 나비와 사마귀를 손바닥 위에 올려두고 움직이는 모양을 관찰하던 일이 어렴풋이 기억나요.

나중에 그때가 여섯 살이었다고 들었어요. 그날도 저는 어디론가 뛰어가고 있었어요. 제가 가지고 놀던 공이 굴러가는 바람에 반사적으로 몸을 움직인 것 같은데, 눈을 뜨니 병원이었어요. 제가 살아난 다음에 그날 일을 자세히 기억하려고 몇백 번이나 애써보았어요. 하지만 너무 희미해서 정확히 떠올릴 수가 없어요. 그래서 자세히 말씀드리기가 어려워요. 얼추 두 발로 뛰었고, 아찔한 느낌이 들었고, 그러고는 병원에서의 긴 시간이 이어졌어요. 왜인지는 몰라도, 그뒤 병원에서 보낸 시간은 또렷하게 기억나요.

분명히 제가 죽을 거라고 했어요. 그 말은 똑똑히 알아들을 수 있어 무서웠어요. 엄마랑 아빠는 제 옆에서 매일 울었어요. 부모님이 슬퍼하시니 저도 슬펐어요. 저도 그래서 같이 울고 싶었는데, 저는 이미 눈만 뜨면 고통스러워 울고 있었어요. 머리가 정말 깨질 것같이 아팠고, 손가락 하나도 움직일 수가 없었어요. 숨을 쉴 때마다 너무 힘들었어요. 눈을 뜨면 늘 보이던 병원의 하얀 천장, 창백한 부모님의 얼굴, 바삐 어딘가로 가던 의사 선생님. 제가 펜을 쥐고 그림을 그릴 수 있다면 지금도 천장의 격자무늬를 똑같이 그릴 수 있을 것 같아요. 또 제가 걸을 수 있다면 그 격자무늬가 보이는 곳에 정확히 찾아가 누울 수도 있을 것 같아요. 오래전 일이지만, 그 기억들은 너무 생생해요.

얼핏 사고로 제 머리가 부서졌고, 경추가 접혔다는 이야기를 들었어요. 처음에는 목을 다쳤는데 왜 팔다리가 전혀 움직이지 않는지 이해할 수가 없었어요. 의사 선생님 말로는 평생 혼자 숨쉬기도 어려울 뻔했다고 하셨어요. 그래서 호흡기를 떼고 살 수 있는 것만으로도 기적이라고요. 지금은 척추를 다치면 그 아래쪽 신경이 마비된다는 것을 배워서 알아요. 하지만 처음부터 왜 사람의 몸이 그렇게 생겼는지는, 그리고 그날 왜 그런 일이 일어났는지는 아직도 이해할 수가 없어요.

저는 그때 병원에서 나온 이후 한 번도 팔다리를 써본 적이 없어요. 누가 손을 잡아끌어도, 심지어 바늘로 찔러도 저는 느끼지 못해요. 그냥 머리에 제 몸이란 것이 붙어 있구나 하는 느낌만 들어요. 하지만 저는 말도 하고, 밥도 먹을 수 있어요. 그렇다면 의사 선생님 말대로 제 삶은 기적이겠지요. 정신은 또렷한데 호흡을 못해서 평생 호흡기를 달고 살다가 죽는 사람도 많다고 들었어요. 저도 그렇게 살 뻔했다는데, 그래서 부모님은 저를 기적 같은 아들이라고 불러요.

그날 이후 10년째 부모님은 모든 일을 저와 함께하고 계세요. 특히 아빠, 아빠는 제 분신이 되었어요. 저는 어딜 가든 휠체어를 타야 해요. 그때마다 아빠는 저를 직접 들어서 옮겨주시고 저는 아빠가 밀어주시는 휠체어를 타고 어딘가로 가곤 하지요. 끼니때가 되면 아빠는 두 개의 수저를 번갈아가며 아빠 한 입, 저 한 입 이렇게 식사를 해요. 그 덕분인지, 제 몸도 조금씩 자랐고 무거워졌어요.

아빠는 제가 장애인이어도 정신이 멀쩡하니 배워야 한다고 하셨어요. 그래서 1주일에 세 번씩 저를 장애인 학교에 데려다주시고, 수업이 끝나면 항상 저를 데려가려고 기다리세요. 소변도 시간 맞춰 직접 소변줄을 넣어서 해결해주시고, 너무 오래 한자리에 누워 있으면 안 된다며 매번 자세도 바꿔주세요. 제가 기침을 잘 못해서 가래가 고여 폐렴에도 잘 걸리는데, 그때마다 병원에 꼬박꼬박 다녔어요. 덕분에 요새는 잘 안 아파요.

하지만 요즘은 아빠가 아프세요. 저 때문인 것 같아요. 너무 오랫동안 저를 안고 옮기다보니 허리가 아프시대요. 게다가 새로 류머티즘성

관절염을 진단받으셨대요. 아빠가 더없이 익숙한 손길로 저를 옮겨주실 때 공중에 '붕' 뜨는 느낌이 좋지만, 매번 죄송해요. 제가 스스로 움직일 수 있다면 얼마나 좋을까, 매일 생각해요. 밤에 잠이 안 올 때면, 옆에서 곤히 잠든 아버지를 쳐다보기도 해요. 항상 피곤한 모습이에요.

오늘은 아빠가 병원에 가는 날이에요. 늘 다니던 정형외과 진료 외에 류머티즘 치료까지 받으셔야 한다고 하셨어요. 이제는 허리부터 시작해 온 뼈마디 관절까지 다 아프시대요. 우리는 누가 아프건 항상 같이 병원에 가요. 아빠는 절 어디든 데리고 다니시거든요. 여느 때처럼 진료를 받고 금방 온다고 하셨어요. 그래서 저는 차 안에서 아빠를 기다리고 있어요.

그런데 오늘따라 아빠가 조금 늦으시네요. 실은 아까부터 기분이 좀 이상하고 답답해요. 숨쉬는 공기가 점점 뜨거워져서 목구멍이 타는 것 같기도 해요. 이렇게 더운 적은 처음이에요. 아니, 뜨거워요, 뜨거워. 의식이 가물거리기 시작하는 것 같아요. 매일 밤 잠들 때처럼. 아니면 그때, '그날'처럼.

저는 한 아이의 아버지입니다. 이것은 숨쉬듯 당연한 일이기도 하지만, 때로는 힘겨운 일이기도 합니다. 제 아들은 팔다리를 못 쓰는 중증장애아입니다. 부모의 도움이 없으면, 일상생활을 아무것도 하지 못합니다. 왜 내 아들은 다른 아이들처럼 혼자 학교 가고, 뛰어놀고, 집에 돌아와 스스로 밥을 먹을 수 없는지. 억울하기도 하고 슬픈 마음이 들 때도 많습니다. 워낙 심성이 착한 아이라서 자기는 이대로 아빠랑 평생 살아도 괜찮다고 하지만, 매번 더 넓은 세상을 보여주지 못해 미안한 마음도 듭니다. 나비가 번데기에서 깨어나 날개를 펼치듯이, 저는 매일 아이가 혼자 힘으로 걷고 혼자 힘으로 큰 세상을 보고 경험하는 상상을 해봅니다. 하지만 현실 속의 아이는 늘 침대에 눕거나 휠체어에 앉아 있습니다. 그럴 때마다 저희 부부는 '그날'을 떠올립니다. 형용할 수 없는 끔찍한 장면을 눈앞에서 목격하고, 아이가 생사의 기로를 헤매던 그 시간들을. 지긋지긋한 중환자실 풍경과, 흰 가운을 입은 의사들에게서 희망과 절망이 교차하는 말이 떨어지던 그 순간을요.

아이가 죽을 거라고 했을 때, 아이가 말도 하지 못하고 누워만 있을 거라고 했을 때, 우리 부부는 아이를 돌려주기만 한다면 이 아이에게 평생을 바치기로 몇 번이고 다짐했습니다. 기적처럼 아이가 다시 말을 하고 제정신이 돌아왔을 때, 우리 부부는 얼마나 기뻤는지 모릅니다. 그리고 병원에서 퇴원할 때, 우리는 약속대로 이 한 생명에게 모든 것을 걸기로 했습니다.

이후 아이와 함께하는 새로운 인생이 시작되었습니다. 중증장애아를 키우는 일은 배움의 연속이더군요. 휠체어를 태우는 방법, 기침을 시켜 폐렴에 걸리지 않게 하는 방법, 사레들지 않게 밥을 떠먹이는 방법 등을 배워야 했고, 아이의 요도에 소변줄을 넣어서 소변을 빼는 방법과 항문을 긁어 대변을 보게 하는 방법도 배워야 했습니다. 움직이지 못해 장작개비처럼 마른 사지도 조금씩 자랐고, 아이는 남들처럼 세상을 깨우치기 시작했습니다. 집 안에서만 보호받는 삶을 살게 하기 싫어서, 저희는 장애학교를 알아보고 곧 아이를 등하교시켰습니다.

아이가 커가는 것은 행복이었지만, 자라는 아이를 돌보는 일은 솔직히 힘에 부쳤습니다. 그래도 착하기만 한 아이가 아빠를 위로해줘서 조금 살 만했습니다. 하지만 저는 일반적인 직업을 가질 수 없었습니다. 가끔씩 들어오는 몸을 쓰는 일 외에는 할 수가 없었습니다. 아이 돌보는 일을 멈출 수가 없었으니까요. 그렇게 생활한 지 10년이 넘자 몸에 무리가 갔는지 원래 안 좋던 허리가 더 나빠졌습니다. 최근에는 뼈마디가 심하게 아파서 동네 병원에 갔더니, 류머티즘 같다며 큰 병원에 가보라고 하더군요. 오늘은 대학병원에 가는 날입니다.

저희는 예약된 시간에 맞춰 아침 일찍 집에서 출발했습니다. 제 몸이 너무 안 좋은 탓에 아이는 차 안에서 기다리기로 했습니다. 아이는 잘 있겠노라고 했습니다. 아침이라서 날씨가 제법 서늘한데다 냉방이 잘된 병원에 오니 청량한 느낌이 듭니다.

병원 로비에 서자 세상의 아픈 사람이 전부 여기에 와 있는 듯합니다. 정형외과 예약 시간에 정확히 맞춰 갔는데, 진료가 밀려 조금 기다려야 한다는군요. 대기실에 북적이는 환자를 보자 두고 온 아이 생각에 마음이 불편해집니다. 매번 비슷한 정형외과 진료를 받고, 저는 곧이어 예약된 류머티즘 내과 외래로 갑니다. 거기선 새로 온 환자니 피검사를 해야 한다고 하는군요. 그 말에 마음이 조여 조금 묵직한 느낌이 듭니다. 검사를 마치자 결과는 나중에 확인해야 하고, 앞으로 꾸준히 치료를 잘 받아야 한다는 평범한 말을 듣습니다. 처방전을 받고 보니 어느덧 시간이 제법 흘렀네요.

아까부터 아이가 걱정이었는데, 바깥에 나오자 땡볕이 쏟아집니다. 문득 이상한 느낌이 듭니다. 허리와 관절은 욱신거리는데, 갑자기 아이가 너무 보고 싶다는 생각이 듭니다. 저는 허리를 붙들고 차가 주차된 곳으로 엉거주춤 뛰어갑니다. 분명 그늘에 주차했는데 그 자리에 볕이 마구 내리쬐고 있습니다. 순식간에 땀줄기가 미간에서 주르륵 흐르고, 마음이 불길해서 견딜 수가 없습니다.

저는 차 키의 버튼을 누릅니다. 차는 '삑' 하고 마음 긁는 소리를 냅니다. 손잡이를 잡자마자 누가 달궈놓은 듯 뜨거운 열기가 전해져옵니다. 문을 벌컥 열자 극심한 열기가 차 안에서 뿜어져나옵니다. 순간적으로 "안 돼" 하는 말이 입에서 튀어나옵니다. 아이가…… 빨갛게 익은 듯 누워 있습니다……

"얘야, 정신 좀 차려봐, 정신 좀!"

"……"

아이는 죽은 듯 반응이 없습니다. 아들의 가쁜 숨이 제 가슴속을 찌르듯 와 닿습니다. 그마저 미약해 금방이라도 끊길 것 같습니다. 차 안의 찌는 듯한 열기에도 오한이 듭니다. 아, 누구에게 도움을 요청해야 합니까. 어디로 가야 하나요. 의사…… 병원…… 병원, 바로 여기가 병원인데, 지금 아이를 받아줄 곳은 어딜까요. 방금 지났던 혼잡한 외래가 머릿속을 스쳐지나갑니다. 안 돼요, 거긴. 지금은, 응급실밖에…… 저는 급히 에어컨을 최대 출력으로 틀고 액셀을 힘껏 밟습니다. 아이가 금방이라도 불타 숨이 끊어질 것 같습니다. 빨리, 한시라도 빨리. 응급실, 응급실로.

아침나절은 서늘했지만, 지금은 한낮의 폭염이 쏟아지고 있다. 잠깐씩 열리는 응급실 자동문 바깥으로 설핏 보이는 실외는 직사광선

이 온 세상을 태워버릴 기세다. 하지만 여긴 응급실 안이다. 언제나 환자들이 넘쳐나는 곳이기 때문에, 응급실 안은 항상 적절한 냉난방을 유지해야 한다. 그래서 병원에서 근무하는 사람들은 여름이건 겨울이건 크게 계절을 느끼지 못하고 지나칠 때가 많다. 그럼에도 바깥 세상은 엄연히 덥다. 그래서 세상 밖에서 예기치 않게 들어온 사람들의 옷자락은 땀으로 젖어 있고, 말하는 입매와 손짓에서는 후텁지근한 기운이 느껴진다.

갑자기 응급실 자동문이 열린다. 당장 김이 모락모락 날 것처럼 전신이 뻘겋게 익은 사람이 들어온다. 보호자는 경황이 없어 보인다. 도움을 애타게 찾는 사람의 눈빛이다. 나는 반사적으로 일어나 환자에게 다가간다. 분명 아이의 얼굴과 몸이지만, 사지를 한 번도 써보지 못한 것처럼 삐쩍 말라붙어 있다. 게다가 아이의 머리에 큰 흉터가 있다. 뇌종양이나 어릴 적 외상, 아니면 선천적 신경계 질환일 가능성을 염두에 둔다. 그런데 아이의 전신에서 심한 열기가 뿜어져나온다. 이마에 손을 대자 불덩이처럼 뜨겁다. 땀조차 거의 나지 않는다. 체온계를 들고 온 간호사가 40.4도라고 일러준다. 아이를 꼬집고 건드려도 반응이 없다. 원래 의식이 없는 아이인지, 의식이 저하된 것인지 판단이 서지 않는다.

"열이 심하게 나서 온 거예요?"

"아니요, 아침만 해도 열은 없었어요. 대신 아이가 땡볕에⋯⋯"

볕, 40.4도, 큰일이다. 열사병이다. 이렇게 심한 양상은 정말 드물다.

"아이가 원래 앓는 병이 뭡니까?"

"어릴 때 목을 다쳐 사지마비예요. 평소에 의식은 있어요."

"말도 하고, 혼자 숨도 쉬고요?"

"네."

"근데 아이를 대체 왜 땡볕에 놔둔 겁니까?

"그게 제가 아파서 진료를 받다가…… 차에…… 차가 그런 줄 모르고……"

"차 안요?"

짧은 대화에도 상황을 파악할 수 있다. 의식이 있고 손발을 움직일 수 있는 사람이면 이런 땡볕에서 위험을 느끼고 더위를 피한다. 하다 못해 그늘에 가서 물이라도 마실 수 있다. 하지만 강압적이라서 피할 수 없는 상태이거나, 위약한 상태에서 방치된 사람은 죽음에 이르는 열사병에 걸릴 수 있다. 게다가 이 한낮에 밀폐된 차 안이었다면, 아이는 금세 익어갔을 것이다. 사지마비, 땡볕, 아픈 아버지, 밀폐된 차. 모든 조건이 맞아떨어졌다. 나는 '망각된 아이 신드롬'이라는 말을 떠올렸다. 아이를 영원히 잊은 것과 같은 신비로운 상태를 묘사한 듯한 명명이지만, 결국 그냥 뜨거운 차 안에 아이를 두고 잊음으로써 성립하는 신드롬이다.

보호자는 세상 모든 죄를 짊어진 표정으로 아이에게서 눈을 떼지 못하고 있다. 그 광경을 보자 뭐라고 할말이 없어 나중으로 미룬다.

집중, 아이에게 집중해야 한다. 열사병 환자에 대한 첫번째 처치는 무조건 체온을 낮추는 것이고, 그후의 처치도 수액 공급과 대증 치료밖에 없다. 나는 오더를 기다리는 간호사에게 말한다.

"아이에게 산소 투여하고 찬 수액 로딩하면서, 전부 탈의시키고 피부에 물 붓고 선풍기 틀어 체온을 낮출게요. 아, 이 정도 상태면……

혹시 지금 심정지 환자용 저체온 기계를 사용할 수 있나요?"

"네, 쓸 수 있기는 해요. 하지만 그건 심정지 환자용 아닌가요?"

"이 정도 상태면, 체온을 급강하시키는 게 중요한 열사병 환자에게
도 쓸 수 있어요."

나는 고개를 돌려 보호자에게 말한다.

"아이는 열사병입니다. 일단 인체가 가장 민감하게 열을 느끼는 부
분은 뇌예요. 어느 정도 고온까지는 사람의 뇌가 버틸 수 있지만, 뇌
의 온도가 올라가서 그 안에 있는 체온조절장치가 도저히 버틸 수
없으면 뇌가 항복하고 맙니다. 그러면 아이의 체온이 순간 급상승해
요. 이렇게 체격이 작은 아이는 성인보다 체온이 더 잘 오르기도 하
고요. 아마 그렇게 긴 시간이 아니었어도, 심한 열사병이 왔을 겁니
다. 볕 아래 조금만 있어도 차 안의 온도는 순식간에 올라가니까요.
체온이 높아지면 뇌가 변성합니다. 몰캉한 뇌가 익어가는 거지요. 그
게 전반적인 신경계의 타격입니다. 바로 이렇게 의식이 사라지다가,
죽음까지 오는 경우도 있어요. 아이는 일단 의식이 없는 상태까지 손
상을 입었고, 어디까지 진행될지는 전혀 모르겠습니다."

"어디까지 진행될지 모른다는 말씀이 뭡니까?"

"음, 신경이라는 게, 손상을 입으면 돌아오기도 하고 돌아오지 않기
도 하거든요. 근데 뇌라는 것이 큰 신경덩어리라서 다른 신경처럼 손
상을 입으면 회복 가능성을 알 수 없다는 거지요. 일단 체온을 낮추
고 의식이 돌아오는지 봐야 합니다. 의식이 돌아오지 않는다면, 언제
회복될지 알 수 없고, 어쩌면 회복되지 않을지도 모르는 상태가 되는
겁니다."

보호자는 매우 당혹스러운 표정으로 무엇인가 떠올리고는 말을 잇는다.

"어떻게, 다른 방법은 없는 겁니까?

"이런 경우, 신경학적 손상을 최소화하는 방법이 있습니다. 의식이 돌아오지 않을 가능성이 큰데, 그렇다면 아이 체온을 아예 32도까지 낮춰버리는 겁니다. 뇌가 손상을 입었으니, 회복될 동안 거꾸로 뇌를 아주 푹 쉬게 하는 겁니다. 적어도 24시간 동안 그 상태를 유지한 채 중환자실에서 버티는 겁니다. 그러고는 깨워서 의식을 확인하는 거죠. 그게 최선일 것 같습니다."

"아이 체온을 그렇게까지 낮춘다고요? 그러면 아이가 깨어날지 여부는 언제 알 수 있습니까?"

"그건 정상 체온을 회복하는 내일쯤 되어야 알 수 있습니다."

"그것밖에 방도가 없다면, 알겠습니다. 선생님, 잘 부탁드립니다."

나는 이제 다시 환자에게 집중한다. 아이의 체온은 곧 39도까지 낮아진다. 하지만 원래도 그랬다는 듯 아이는 자극에도 전혀 미동이 없다. 아이는 정말 이 상태로 살아온 것일까. 나도 모르게 한숨이 나온다. 이제 긴 투쟁의 시작이다.

나는 기계를 만져 목표 체온을 32도로 세팅한다. 그다음 마취제와 근이완제를 투여한 뒤 아이의 입을 열고 삽관해 튜브를 인공호흡기에 연결한다. 의식이 없으니 호흡을 보조해야 한다. 그리고 중간에 의식이 깬다고 해도, 체온이 32도라면 추워서 견딜 수 없다. 약물을 써서 푹 재워야 한다. 이어서 나는 전산 프로그램을 열어 아이의 이름을 클릭해 중환자실 입원 버튼을 누른다. 그리고 아이를 바라본다.

비틀린 몸과 주렁주렁 매달린 수액이 벌써 중환자의 모습이다. 이제 하루 뒤, 내일이면 열사병 치료는 결론이 난다.

체온 32도의 냉동인간을 실은 침대는 중환자실로 갔다. 이후 내내 아이의 생체 징후가 안정적이라는 연락이 응급실에 전달되었다. 체온도 목표대로 유지되고 있었다. 나는 아이를 생각하며 새벽까지 바쁜 일과를 버텼다. 그리고 응급실이 잠잠해지자, 중환자실에 누운 아이를 보러 엘리베이터에 올랐다.

중환자실 안은 불이 꺼져 고요했다. 생체 신호를 체크하는 일정한 기계음이 이 공간에서 고요히 뒤엉키고, 아이는 구석에서 조용히 튜브로 숨을 몰아쉬고 있었다. 복부에 밀착된 커다란 패드와, 양쪽 허벅지에 붙은 패드가 냉각된 물을 끊임없이 순환시키고, 직장 안에 삽입된 체온 측정기가 실시간으로 아이의 체온을 전달했다. 기계가 아이의 현재 체온을 바탕으로 물의 온도를 조절해 아이의 상태를 설정된 대로 유지시켰다. 새파란 패드가 전신에 붙어 있는데다가, 아이가 워낙 말라 미약하고 쇠한 모습이고, 중환자실 기본 기구들, 각종 수액과 호흡기, 그리고 큰 체온조절용 기계가 몸에 주렁주렁 붙어 흡사 아이가 진짜 냉동인간이 되어 미래로 보내질 것처럼 보였다.

이미 아이의 생체 징후가 안정적이어서, 의사인 내가 더 해줄 일은 없었다. 이제 아이의 상태를 관찰하며 혹여나 찾아올 위험에 아이가 잘 견디고 정신을 차려 깨어나기를, 뇌가 너무 많이 익어 돌아올 수 없는 강을 건넌 것이 아니기를 기도할 뿐이었다.

아이의 보호자는 미약한 조명만 남은 어두운 중환자 보호자 대기실에, 다른 보호자들이 이부자리를 깔고 앉거나 누워 있는 틈바구니에서 괴로운 표정으로 앉아 있었다.

"아이 상태는 안정적입니다. 회복 여부는 내일 아이가 일어나는 대로 알려드리겠습니다. 그런데 아이가 어릴 때 어떤 사고가 났었나요?"

보호자는 잠시 머뭇거리더니 이야기를 시작했다.

"여섯 살 때였어요. 아이가 갑자기 공을 주우러 도로로 튀어나갔는데, 그곳이 마침 마주 달려오는 차의 사각지대였어요. 차가 우리 아이, 우리 아이의 머리를 밟고 그대로 질주했습니다. 굴러가는 차의 바퀴와 우리 아이의 머리와 목이 만날 거라고 상상이나 했겠어요. 마치 환상을 보는 것 같았습니다. 그리고 기괴하게 뒤틀리는 소리가 났습니다. 전 아직도 잊을 수가 없습니다. 그 기괴한 소리와, 차가 지나간 후 부자연스럽게 꺾인 목으로 도로에 누워 가쁘게 숨쉬던 우리 아이의 모습을요. 제 실수였어요. 그 실수만 되돌릴 수 있다면, 저는 우리 아이에게 모든 것을 바치겠다고 생각했습니다."

"……"

"오늘 일도 결국 제 실수였어요. 아침에는 서늘해서 이런 일을 도저히 상상할 수도 없었습니다. 게다가 아이는 평소에도 얌전히 차에 잘 있었고, 매번 제가 일을 보고 오면 아빠를 기다렸다며 반겨주었습니다. 그런데 오늘은…… 또 제가 잘못한 겁니다. 이번에도 아이가 살아나면 인생을 바치겠다고 다짐하면 되는 걸까요? 이미 아이는 제 인생입니다. 지난 10년간 아이를 위해 안 한 일이 없습니다. 그런데 정작이 아이의 인생에 제가 무슨 일을 저지른 걸까요? 아이의 경추를 한번 접었고, 이제는 내 몸이 아프다고 아이를 방치해서 끔찍한 불덩이

속에 내던진 게 부모라는 사람이 할 일일까요? 이제는 아이에게, 인생을 바치겠다는 말을 하는 것도 미안합니다. 과연 인생 말고 이 아이에게 무엇을 더 걸어야 할까요. 그런 것이 세상에 남아 있기나 할까요. 선생님, 저는 어찌해야 할지 모르겠습니다. 아이가 멀쩡하게 일어나도 어떻게 해야 할지 모르겠고, 아이가 일어나지 않더라도 어떻게 해야 할지 모르겠습니다."

"아이는, 꼭 일어날 겁니다. 다른 경우는 일단 생각하지 마세요······"

대답할 말이 없어 나는 말끝을 흐렸다. 그러고는 어둑한 중환자 보호자 대기실에서 일어나 몸을 돌렸다. 아이를 본 순간 아동학대나 방임을 먼저 떠올렸던 나 자신이 부끄러웠다. 나는 아이를 키워본 적도, 이런 식으로 사람을 사랑해본 적도 없다. 이런 아이를 10년 넘게, 자신을 자책하며 챙겨야 했던 사랑. 아이를 평소와 다름없이 두었으나, 말할 수 없는 우연, 그중에서도 특별한 불운이 다가오면 이런 일이 일어난다. 당사자는 자책할 수도 있겠지만, 세상의 모든 사고는 그렇게 일어난다. 부지불식간에, 무언가에 홀린 것처럼, 마치 기다리고 있었다는 듯이.

더위가 조금 가라앉은 새벽이어서 환자가 거의 없었다. 나는 깊은 밤 당직실에 쭈그리고 앉아 냉동실과도 같은 곳에 들어간 아이와, 끊임없이 윙윙거리며 돌아가는 기계를 떠올렸다. 그리고 아이와 온 가족의 고단한 생활과 움직이지 못하는 육체 안에 갇혀 있던 아이의 정신과 익은 뇌와 척수, 그리고 두 개의 불운과 쓰지 못하는 아이의 마른 팔다리를 매번 번쩍 들어올려왔을 아버지의 팔에 관해 생각했다.

중환자실에선 특별한 연락이 오지 않았다. 나는 소생 가능성에 대해 따져보았다. 아이가 그렇게 되기까지, 분명 긴 시간이 걸리진 않았을 것이다. 사람의 육체가 어느 선을 언제 어떻게 넘는지는 결국 신만이 알 수 있다. 아버지가 기다리던 외래의 대기자가 한 명만 적었다거나 한 명 더 있었더라면, 주차된 자리가 계속 그늘진 자리였거나 처음부터 땡볕에 가까웠다면, 아이가 잘 버텨주었거나 일찌감치 지쳐버렸다면, 그 많은 경우가 전부 서로 줄다리기를 하고 있다. 좋은 징후와 나쁜 징후가 서로 격렬하게 다툰다. 어떤 힘이 우세해서 이 줄을 잡아챌지 모른다. 그리고 어떤 편이건 줄을 잡아채면 인생은 송두리째 결단이 난다. 결국 운명과 우연에 모든 상황을 맡겨야 하는 것이다.

아이 아버지의 말이 떠올랐다.

"아이를 방치해서 끔찍한 불덩이 속에 내던진 게 부모라는 사람이 할 일일까요……"

방치, 불덩이. 보호자인 아버지는 시간이 지날수록 더욱 나약하고 작아 보였다. 내일 아이가 정신을 차리지 못해 이 비참한 자리에 남아야 한다면, 그는 앞으로 벌어질 고통을 버틸 수 있을까. 하루 만에 사람이 저 지경으로 말라가는데…… 그리고 이미 첫번째 사고도 온전히 자기 잘못이라고 생각하는데, 두번째 사고의 죄책감을 피해갈 수 있을까.

후텁지근한 새벽이 이어졌지만, 나는 약간의 한기를 느끼며 응급실 환자들을 진료했다. 아침이 되어 남은 환자들을 정리했지만, 입원 환자 때문에 병원을 떠날 수가 없었다. 내 눈으로 운명을 지켜봐야 하는 아이가 있었다.

점심이 지나고, 아이에게 저체온 요법을 유지한 지도 24시간이 되었다. 이제 두 시간 동안의 느린 해동이 필요했다. 아이의 찬 피부는 조금씩 말랑해질 것이다. 진행이 완료되면 모든 약물을 끊고 아이의 의식을 확인해야 한다. 모든 약이 몸 안에서 분해되는 데는 한 시간쯤 걸린다. 그러고 나면 아이의 여생을 확인할 수 있을 것이다.

아이의 체온이 정상까지 오르자, 나는 약물을 전부 끊을 것을 지시하고 중환자실로 발걸음을 옮겼다. 이 아이를 지켜보는 일 외엔 남은 할 일이 없었다. 보호자는 인생을 송두리째 바꿔놓을 결정을 기다리는 사람처럼 중환자실 문 앞에 서 있었다.

아이는 온몸에 붙였던 패드를 떼고 어제의 열기가 사라진 채 침대에 누워 있었다. 말을 하지 못하는 것 말고는, 평범하게 마른 아이 같았다. 이제 입을 열어 말 한마디만 해주면 된다. 그러면 아이에겐 그 전과 같은 삶이 펼쳐질 것이다. 그게 아니라면 평생 말하거나 사고하지 못하는 것은 물론, 호흡기 신세를 져야 할 수도 있다. 두 번의 사고를 겪은 몸으로 언제 악화될지 몰라 여생을 병원에서 벗어나지 못할 수도 있다. 나는 떨리는 손을 뻗어 아이의 얼굴을 어루만졌다.

"정신 좀 차려볼래?"

"……."

반응이 지지부진했다. 약기운에서 늦게 깨는 경우는 있지만, 느낌이 별로 좋지 않았다. 나는 절망감으로 아릿해졌다. 고개를 돌려 의미 없는 기계의 수치를 바라보았다. 별다른 이상은 없었다. 이제 말 한마디만 하면 여기서 벗어날 수 있었다. '아이를 집에 보내야 한다.' 나는 아이의 얼굴을 마구 흔들었다.

"얘야, 정신 좀 차려봐, 정신."

"……"

아이는 묵묵부답이었다. 이대로 또하나의 비극이 시작되는 걸까. 보호자에게 가려고 고개를 돌린 순간 뒤에서 약한 음성이 들렸다.

"아, 병원……"

병원. 순간 정신이 번뜩 들었다. 나는 고개를 돌려 아이의 어깨를 짚고 소리쳤다.

"병원, 네가 말한 것 맞니? 병원?"

"병원, 또 병원."

그것은 아이의 입에서 나온 것이 분명했다. 정말 말할 수 있는 아이였구나. 그리고 앞으로도 말할 수 있겠구나. 나는 크게 소리를 질렀다.

"빨리, 보호자 불러요. 아이가 깨어났어요."

보호자는 자동문이 열리자마자 튀어서 아이에게 달려왔다. 그러고는 아이의 얼굴을 붙들고 소리쳤다.

"정신이, 정신이 들었니?"

"아빠."

"그래."

"어디 있었어요, 아빠?"

"아빠 어디 안 갈게……"

보호자는 먹먹한 목소리로 말을 이었다.

"너를 두고 어디 안 갈게. 잠시도 안 갈게. 이제 평생 너를 두고 어디도 가지 않을게…… 미안하다. 아빠가, 미안했다. 이제, 행복하게 살자."

그 말에 모여든 의료진도 작은 신음 소리를 흘렸다. 보호자는 늘 아이를 꺼안던 모양새 그대로 얼굴을 맞대고 울고 있었고, 아이는 자신에게 어떤 일이 지나갔는지 전혀 모르는 표정으로 멀뚱하니 천장의 격자무늬를 보고 있었다. 이제 '기적 같은 아이'가 겪던 '기적 같은 일상'에서, 또다른 기적이 일어난 것이다. '그날' 이후의 평범한 삶, 아이를 매일 들어 옮기고, 대소변을 받아야 하는 삶, 하지만 그것마저 감사하고 또 감사한 삶. 그 경계와 운명의 암투에서 아이는 가까스로 건져올려졌다.

보호자는 아이의 정신이 온전해질 때까지 한참을 울었다. 나는 그 장면을 오래도록 보고 있었다. 나는 이 가족에게 어떠한 일상이 계속되고, 어떠한 미래가 닥쳐올지 알지 못한다. 다만 영영 떠나갈 뻔했던 한 생명이 이 세상으로 온전히 돌아왔음을, 그리고 내가 그것을 똑똑히 목격했음을 기억할 뿐. 그리고 한동안은 이 가족에게 기적 같은 행복이 계속될 것이라고, 마음속으로 믿고 또 깊이 바랄 뿐.

1미터의
경계

아무도 슬프지 않을 것 같은 쨍쨍한 낮이었다. 한 행인이 길을 걷고 있었다. 그의 걸음걸이에는 한낮의 활기가 가득했다. 무심코 걷던 그에게 갑자기, 허공에서 짧고 날카롭지만 둔탁한 소리가 들려왔다. 그는 그 소리에 고개를 들었다. 눈앞 빌라 5층 높이의 창이 하나 터져나가고, 허우적거리는 사람의 형상 두 개가 쏟아졌다. 그는 이 광경을 믿을 수가 없어 끝까지 지켜보았다. 두 형상은 지지할 곳이 없어 팔다리를 허공에 휘저으며, 그의 눈동자 속에서 천천히 낙하했다. 그리고 곧 허우적대는 그 모습 그대로, 동시에 불시착했다. '뻐걱.' 한 번도 들어보지 못한 끔찍한 소리였다.

응급실 자동문이 언제나처럼 느릿하게 열렸다. 그 틈 사이로 급히 달려오는 카트가 보였다. 축 늘어진 형상이었다. 구급대원 한 명이 그 위에 올라타 있는 힘껏 심폐소생술을 하고, 다른 구급대원은 엠부를 짜며 뛰어오고 있었다. 나는 반사적으로 뛰어나갔다. 카트에는 한 아이가 누워 있었다. 한눈에도 피범벅이었다.

"무슨 환자입니까?"

"열 살, 5층 추락, 심정지입니다. 두부 외상이 심한 것 같습니다."

"왜, 왜 떨어졌대요? 왜?"

"숨바꼭질하다가 방충망이 터져서 떨어졌답니다."

"아……"

아무리 비극이 들이마시는 공기처럼 일상적인 공간에 있어도, 그중 조금 더 비극적인 일은 분명히 존재한다. 바로 이런 것이다. 나는 이를 악물고 같이 카트를 잡아채 소생실로 달렸다. 온 의료진이 달려와 소생실에 집결해 있었다. 아이를 소생실 가운데 눕혔다. 맥박과 호흡이 없었다. 나는 일단 심폐소생술을 유지하며 확보된 기도로 산소를 투여하고 옷을 전부 잘라달라고 소리 질렀다. 의료진은 일사불란하게 움직였다. 나는 환자의 상태를 확인하기 시작했다.

피범벅이었지만, 초등학생 아이의 몸과 얼굴임이 확연했다. 팔다리가 전부 부서진 듯 사방으로 흩어져 있었다. 나는 장갑 낀 손으로 거즈를 한 움큼 집어 생존에 가장 중요한 부분인 얼굴과 머리부터 문질러 닦았다. 오른편이 주저앉은 아이의 얼굴이 드러났다. 얼굴은 지면과 맞닿은 모양 그대로 평평하게 구겨져 있었다. 내려앉아 어긋난 면은 두개골까지 죽 이어져 있었다. 피에 흠뻑 젖은 거즈를 집어 던지고, 다시 새 거즈를 집어 아이의 머리통을 닦았다. 오른쪽 귀에서는 피가 줄줄 흐르고, 머리 한쪽이 우그러져 따로 떨어져 노는 느낌이었다. 매끄러워야 할 두개골에서 계단 같은 층이 느껴져 소름이 돋았다.

이윽고 핏덩이를 얼추 걷어내자, 그 틈 사이로 아이의 찢어진 경막과 부스러진 뇌가 보였다. '심정지 환자의 뇌를 직접 볼 수 있으면, 그 환자에겐 이미 어떠한 노력도 필요없다.' 의학적인 사실이 머릿속에서 지나갔다. 이 사실을 믿지 못해 많은 노력을 해보았지만, 결국 살아나는 사람은 아무도 없었다. 이 말은 그야말로 사실이었던 것이다.

"전 의료진 심폐소생술 중지. 사망입니다."

내가 뇌를 목격한 순간 아이는 죽었다. 즉사로 기록될 것이었다.

나는 순식간에 지나간 끔찍한 잔상이 가시지 않아, 잠시 응급실 천장을 바라보았다. 순간 얼빠진 표정의 구급대원이 눈에 들어왔다. 나는 수습을 위해 물었다.

"근데 보호자는 연락되었나요?"

"선생님, 실은 한 명이 더 올 겁니다. 같이 추락한 여동생입니다."

"뭐요? 두 명이라고요?"

"네, 현장에 도착하니 이 아이가 콘크리트 바닥에 떨어졌는데, 상태가 안 좋아서 먼저 데리고 왔습니다. 끝내 죽었군요…… 다른 아이는 화단에 떨어졌는데, 저희는 급하게 오느라 상태를 제대로 확인하지 못했습니다. 보호자는 그 아이와 같이 올 겁니다."

"이런 아이가 한 명 더…… 알겠습니다."

나는 깊게 한숨을 쉬었다. 조금 더 심한 비극이란 말로는 설명되지 않는 일이었다. 그 한 명마저 더 죽게 할 수는 없었다. 손아귀의 근육이 움찔거렸다.

"빨리 소생실 비워주세요. 곧이어 중환이 또 도착할 겁니다."

벌써 비극의 전조가 응급실에 풍기고 있었다. 온 의료진은 다른 일을 하고 있었지만, 저마다 굳게 닫힌 응급실 자동문을 흘깃거렸다. 지독한 예감은 인간을 물들이고 곧 온몸을 굳게 만든다. 그리고 그 기척은 감정을 지닌 인간이라면 명민하게 느낄 수밖에 없다. 곧 여느 때와 다름없이 느릿느릿 자동문이 열렸으나, 그것이 새로운 비극이 도착했다는 신호임을 알아채고는 모두가 그 방향으로 일제히 뛰었다.

주황색 옷을 입은 구급대원 셋이 카트를 밀며 들어왔다. 목에 보호대를 차고, 사지에 붕대를 칭칭 감은 여자아이가 실려 있었다. 아이는 옴짝달싹 못한 채 눈만 껌뻑거렸다. 그리고 그 옆의 여인은 두 아이를 낳고 기른 어머니일 것이었다. 정신과 혼을 방금 막 팔아버린 것 같은 그 형상. 그녀의 모습은 이미 넋을 잃은 허깨비 같았다. 그녀는 다급히 시선을 돌리다가, 본능적으로 내가 이 응급실 책임자임을 알아채고는 급히 걸어왔다. 발길이 다급했으나, 허공을 걷는 것 같았다.

"선생님, 우리 승호, 승호 어떻게 됐나요?"

"즉사했습니다."

"아아! 선생님, 제발."

예감하긴 했어도 어쩔 수 없었을 것이다. 그녀의 두 다리가 즉시 풀려 내 발 앞에 무릎을 꿇었다. 그녀는 내 피 묻은 바짓단을 붙잡고 늘어졌다. 딱딱한 응급실 바닥에 무릎이 부딪히는 둔탁한 소리가 비정상적으로 크게 울려, 모든 사람의 귓가에 파고들었다. 무릎 아래가 연약한 부위라는 사실을 잊은 것처럼 무너졌기에, 그녀는 무릎을 꿇었다기보다는 짓이겼다고 표현해야 할 것 같았다. 하긴 그 순간 그녀에게, 자기 무릎의 안위 따위는 안중에도 없었을 것이다.

"그러지 말고, 한 번만…… 우리 승호를 살려주세요, 제발."

"불가능합니다. 머리가 터져, 현장에서 즉사했습니다."

"으으…… 으흐흑, 제발, 선생님."

그녀는 이제 내 신발에 얼굴을 파묻고 흐느끼기 시작했다. 순간 나는 드라마에서 보던 구태의연한 장면을 떠올렸다. 왜 극한에 달한 감정의 표현은 연기와 같아지는가. 그리고 실재하는 감정을 우롱하는 자들. 진정한 비극은 감히 그딴 식으로 연기되어서는 안 된다. 나는 그렇게 모든 것이 저주스러웠다.

어머니는 곧 간신히 붙들고 있던 내 바짓단마저 놓고 실신했다. 나는 어머니를 부탁하고 여자아이가 실린 카트를 끌어 소생실로 옮겼다. 아이는 자신의 오빠가 방금 죽은 그 자리에 똑같이 누웠다. 같이 온 구급대원이 말했다.

"팔은 그나마 온전한데, 다리가 끔찍합니다. 조심히 끌러주세요."

"알겠습니다."

"산소. 혈압. 와서 한 명씩 팔 붕대 풀어. 중심정맥관 두 개와 소아용 스플린트. 기도 확보도 준비. 옷 자르고 수액펌프와 수혈. 빨리, 빨리……"

아이는 자극에도 반응을 보이고 호흡도 있었다. 머리 쪽의 외상은 특별히 보이지 않았다. 나는 가장 끔찍하다는 다리 쪽에 붙어 발목을 허공에 잡고 미친 듯이 붕대를 반대 방향으로 풀어나갔다. 피부의 느낌이 아닌 뭉개진 근육 더미가 삽시간에 붕대 바깥으로 쏟아졌다. 그리고 곧 병아리같이 연약한 여덟 살 여자아이의 나신이 드러났다.

몸통은 온전해 보였으나, 팔목 두 개가 바깥쪽으로 휘어져 있고, 허벅지 두 개가 전부 터져 근육과 인대와 뼛조각이 사방으로 나뒹굴고 있었다. 추락과 동시에 등뒤로 허벅지가 접힌 것 같았다. 다리를 들자, 허벅지에 관절이 새로 생긴 것처럼 살더미가 제멋대로 움직였다. 나는 일단 다리를 바닥에 놓고, 육안으로 확인할 수 있는 피부의 경계를 모아 다시 붕대로 감쌌다.

아이는 울거나 보채지 않고, 허공을 향해 눈을 끔뻑거리고 있었다. 응급실에서 아프다고 소리 지르거나 우는 아이는, 대부분 턱이나 눈 위가 조금 찢어진 경우다. 그 아이들은 죽지 않을 것을 알고 있으며, 다만 불편하기 때문에 운다. 하지만 이렇게 비현실적으로 살과 뼈가 튀어나가버렸을 때는 소리도 지르지 않고, 일말의 고통도 호소하지 않는다. 그것은 두려움 때문이다. 어떤 일이 벌어질지 모른다는 공포는 아이의 몸을 항거할 수 없게 얼려, 어떠한 통증에도 반응하지 못하게 한다. 게다가 여덟 살 아이가 자신의 두 다리가 터져버릴 것이라고 상상해본 적이 있을까. 한 번도 본 적 없는 자신의 시뻘건 근육, 힘줄, 혈관, 그리고 병원의 하얀 천장, 불길한 옷을 입고 분주하게 자신을 중심으로 움직이는 의료진. 이런 걸 아이가 당장 받아들일 수 있을까. 그래서 그런 아이들에게 이런 비극은, 되레 '일어나지 않은 일'에 가까워 보인다.

"괜찮니? 많이 아프지?"

"……"

"말을 해줘야 선생님이 괜찮은지 안단다. 괜찮니?"

"선생님, 죽으면 많이 아픈가요?"

"왜? 넌 안 죽을 거야. 넌 괜찮을 거라고."

"우리 오빠 많이 아팠을까요?"

"오빠…… 안 아팠을 거야. 죽음은……"

"내가 이렇게 아픈데요?"

"……"

"난 분명 죽어요. 우리 오빠도 죽었잖아요. 근데 이것보다 더 아프 겠죠?"

나는 더이상 대답할 말이 없었다. 문득 방금 실신한 어머니가 떠올 랐다. 일단 감상에서 벗어나야 했다. 의료진은 분주하게 준비를 하고 있었다.

정신을 차리고 굵은 관을 들어 아이의 쇄골 아래에 꽂았다. 아이 는 무엇을 기다리는지, 바늘을 받고도 여전히 눈만 껌뻑거렸다. 혈압 은 안정적이었고, 사지를 제외한 부위는 다시 살펴도 크게 상한 것 같지 않았다. 살 수 있을 것 같았다. 비록 평생 다리를 절거나, 자리에 서 일어나지 못할지라도.

살아 있는 아이는 모든 준비를 마치고 검사실로 떠났다. 응급실에 는 잠시 정적이 감돌았다. 소생실 뒤편에는 죽은 아이가 머리에 붕대 를 감고 누워 있었다. 그사이 실신했던 어머니가 깨어나 침대에서 몸 을 일으켰다. 그러고는 본능적으로, 죽은 아이를 향해 걸어갔다. 한 시간 전까지만 해도 집에서 아이들이 뛰노는 모습을 흐뭇하게 지켜 보았을 어머니는, 이제 완전히 유령처럼 보였다. 어머니는 아들의 사 체 곁에 다다라, 뭉개진 두개골 위의 붕대를 집었다. 그리고 머리를 박고 흐느끼기 시작했다.

"승호야, 엄마가 다 잘못했어. 엄마가 우리 승호를 죽인 거야. 그 방충망, 방충망…… 아…… 엄마는 죽어도 좋아. 아, 엄마랑 집에 가자. 엄마가 우리 집 창문을 다 발라버릴 거야. 창문 따위는 하나도 안 남기고 다 막아버릴 거야. 빛이 엄마한테 왜 필요하겠어. 자식들이 바닥에 처박혀 죽었는데…… 평생 빛 같은 건 안 보고 살게, 엄마가."

어머니는 일종의 비현실적인 협상을 하고 있었다.

"아, 엄마가 대신 바다에 처박혔어야 하는데. 엄마는 어디든 부서져도 괜찮아. 시간을 돌려 엄마가 죽을게. 엄마는 그딴 거 100번도 뛰어내릴 수 있어. 지금이라도 뛸게. 승호야…… 창문…… 방충망…… 엄마 평생 빛 안 드는 곳에서 살 테니까, 엄마랑 집에 가자. 엄마한테 뭘 해도 괜찮아. 내가 당장 이 창문을 다…… 아냐, 엄마랑 집에 가자, 아……"

창자가 끊어지는 소리가 응급실에 울려퍼졌다. 모든 사람이 하던 일을 멈추고 그 귀를 후벼파는 날카로운 소리를 듣고 있었다. 마치 듣는 사람의 창자까지 절절하게 도려내는 느낌이었다. 어머니의 창자가 실제로 조각났어도 이상하지 않으리라. 나는 문득 뱃가죽 안쪽에서 아릿함을 느껴, 잠시 쓰다듬어보았다. 먹먹한 통증이 묻어나왔다.

살아 있는 아이는 응급실로 무사히 귀환했다. 생체 징후는 안정적이었고, 받아본 결과로는 머리와 몸통도 온전했다. 머리가 딱딱한 바닥에 수직으로 부딪혀 충격을 다 받아버린 오빠와 달리, 여자아이는 사지를 전부 내주고 목숨을 얻어낸 것이다. 화단의 푹신한 흙으로 인해 천만다행으로 충격은 손목 두 개를 꺾고 멈추었다.

아이의 엑스레이 사진을 열어보니 얇은 허벅다리가 제멋대로 터져

195

사방으로 튀어나가 있었다. '이것이 목숨값이로군. 행운이라고 해야하나……' 나는 자세히 보지 않고 필름을 닫고 소리쳤다.

"정형외과 호출해, 응급수술이다."

고개를 돌리자 슬픔에 젖어 혼이 나간 듯한 아이의 엄마가 서 있었다.

"우리 딸도 죽었다고 말씀하실 건가요?"

"아닙니다. 살 수 있을 겁니다."

"저는 직접 봤어요. 우리 딸의 다리가 부서져 바닥에 흩어져 있는 걸요. 아니, 처음부터 똑똑히 다 봤어요. 방충망이 터져나가고 집 안의 인기척이 사라지는 순간이랑, 곧이어 자식들 머리통이 부서지는 그 끔찍한 소리. 밖으로 뛰어나갔더니, 우리 아이들이 밟힌 벌레처럼 바닥에 딱 붙어 널브러져 있었어요. 그리고 우리 딸, 운동장도 간신히 내딛던 우리 딸의 연약한 다리가 뻘건 근육을 드러내고 뒤로 접혀 오들오들 경련하는데…… 그걸 제가 다 봤어요. 이 두 눈으로. 그럼에도 우리 딸이 멀쩡히 살아날 거라고 말씀하실 건가요?"

"수술을 해봐야 알겠지만, 잘되면 걸을 수도 있습니다."

"그렇다면 다행이라는 건가요?"

다행, 써서는 안 될 말이었다. 그렇다면 불행, 역시 입 밖으로 내서는 안 될 말이었다.

"……"

내가 우물쭈물하자 어머니는 검사를 마치고 돌아온 딸에게로 가서 주저앉아 울기 시작했다. 어머니가 나에게서 듣고 싶은 말은 처음부터 한마디도 없었던 것이다.

나는 추락하는 아이 둘을 떠올리며 응급실에서 밤을 지새웠다. 머릿속이 허공에서 쏟아지는 이미지로 가득했다. 나는 밤새 응급실에서 뛰어다니고, 아이는 밤새 뼈와 근육을 모으는 수술을 받았다.

날이 밝아 내가 환한 세상으로 나가려 할 때, 아이는 의식불명 상태로 중환자실에 누워 있었다. 그대로 눈을 뜨지 않을 수도, 혹은 눈을 떠 여덟 살부터 시작되는 앉은뱅이나 절름발이의 인생을 맞이할 수도 있었다. 그녀의 운명은 감은 눈처럼 불투명했다.

나는 응급실에서 빠져나와 무거운 다리에, 검은 반점이 아른거리는 시야로 퇴근길 지하철에 올랐다. 곧 정신이 나가버릴 것처럼 혼곤했다. 이를 악물고 어제 뉴스를 검색했다. 앵커는 제법 비통한 표정으로 기사를 읽었다.

"어제 오후 2시 30분경, 5층 빌라에서 방충망이 뜯어져 남매인 10세 김 모 군과 8세 김 모 양이 추락했습니다. 오빠는 현장에서 즉사했고, 동생은 크게 다쳤습니다. 경찰은 이들이 장난을 치다……"

화면은 두 사람이 간신히 지나갈 수 있는, 뜯어진 방충망을 클로즈업하다가 곧 아이들처럼 바닥으로 쏟아졌다. 모자이크된 바닥에 아이들이 떨어져 만든 핏자국이 아련히 보였다. 그 사이, 화단과 아스팔트의 경계는 1미터도 채 되지 않는 것 같았다. 내 흐릿한 시야에는 그것이 한 뼘으로 보였다. 죽음과 앉은뱅이의 경계, 화단과 아스팔트의 경계, 머리통과 두 다리의 경계, 아니 뜯어져나가는 방충망의 경계, 그리고 숨바꼭질과…… 또 허우적거리는 아이들, 그 저미는 불행을 목격한 어머니.

나는 운명과 불행을 생각했다. 눈시울이 흐려져 아무것도 보이지
않았다.

조각난 몸

삶은 불공평하다. 불행도 공평하지 않다. 심지어 어떤 생명은 불행만 겪기 위해 태어나기도 한다. 누군가가 이 세상을 만들 때, 꼭 불행과 고통을 한곳에 쏟아버렸음을 알려주기 위해 존재하는 것처럼.

아이의 걸음걸이는 괴상했다. 보통 일정한 패턴으로 걷는 소아마비 환자와는 완연히 달랐다. 다리의 생김새부터 경향 없이 휘어져 보였다. 여자아이는 가느다랗고 흰 발끝을 내밀어 찡그린 표정으로 조심스럽게 한 걸음을 내딛고, 연이어 틀어진 반대편 발을 신중하게 디디며 119 카트에서 응급실에 이르는 짧은 거리를 느릿느릿 걸어들어왔다. 단순히 걸음이 불편하다기보다는 걷는 일 자체가 아이에게는 낯설고 고통스러운 일로 보였다. 길거리를 다니는 사람이면 누구나 편히 하는 보행이, 아이에겐 신이 부과한 노역이나 형벌인 것 같았다.

완고하게 생긴 아이의 어머니는 아이를 유심히 지켜보며 걸음에 맞춰 들어왔다. 아이가 잘 걷는지 경계하긴 했지만 손을 직접 대지는 않았다. 이 광경이 모녀에게는 더없이 익숙해 보였다.

"무슨 일로 왔습니까?"

"아이의 팔이 부러졌어요."

아이는 고통스러운 표정으로 왼팔을 진료실 책상 위에 올려놓았다. 팔의 가운데 부분이 흠칫 놀랄 각도로 꺾여 부어 있었다.

"부러진 건 어떻게 아셨죠?"

어머니는 지친 낯빛으로 기다렸다는 듯이 큼지막한 서류 봉투를 하나 내밀었다. 그 갈색 봉투의 구겨지고 헌 모양새가 아이의 오랜 병력을 증명하는 것처럼 보였다. 어머니가 그것을 항상 품에 지니고 다녀야 했다는 사실도 알 수 있었다. 봉투를 열자 하얀 종이와 검은 엑스레이 필름이 잔뜩 들어 있었다. 나는 우선 하얀 종이를 꺼내 아이의 진단명부터 읽었다.

'Osteogenesis imperfecta불완전 골형성증.'

뼈의 생성이 불안정하다는 뜻이었지만, 실제로는 처음 마주하는 낯선 진단명이었다. 나는 잠시 양해를 구하고 진료실에서 문헌을 검색했다. 아이의 어머니는 익숙한 일이라는 듯 시선을 다른 곳으로 돌려 어딘가를 주시했다.

"불완전 골형성증은 선천적으로 뼈의 강도가 약해서 쉽게 부서지는 희귀병이다. 환자는 특별할 것 없는 일상생활에서도 뼈가 부러져 버린다. 골절의 고통을 똑같이 느끼지만, 뼈가 유합되는 속도는 일반인과 같다."

심각한 기술이었다. 나는 계속 읽어나갔다.

"환자는 뼈가 약해 꼽추가 되는 경우가 많다. 대부분 관절이 비틀리거나 근육의 긴장도가 떨어진다. 색소의 변형으로 눈의 흰자위가 푸른색으로 변하고, 어린 나이부터 귀머거리가 될 확률이 높다. 치아부터 부서지는 경향이 있다. 치료 방법은 없다."

나는 문헌과 아이를 번갈아 보았다. 아이는 여섯 살 나이보다 훨씬 왜소해 보였다. 이 조그마한 생명은 휘어진 팔을 내민 채, 또래의 발랄함이 느껴지지 않는 침통한 표정과 흰자위에 푸른빛이 도는 눈을 내리깔고 앉아 있었다. 고개를 돌려 교차된 화면에는 어처구니없을 만큼 슬픔이 전혀 실려 있지 않은 딱딱한 문장이 둥둥 떠 있었다. 이런 순간마다 나는 누군가가 인간을 보고 이 문헌을 기술했는지, 아니면 문헌의 기술을 따라 인간이 변해가는 것인지 혼란스러웠다. 왜 인간은 같은 인간에 대해 이러한 글을 끊임없이 기술해야만 할까.

나는 아이의 구부러진 팔을 집어들어 면밀히 살폈다. 확연히 부서진 것 같았다. 퉁퉁 부어 있는 부위에 손을 대자 통증이 느껴지는지 아이는 표정을 구기며 입을 벌려 치아를 드러냈다. 순간적으로 본 치아는 전부 불투명한 갈색이었고, 그나마 결이 제멋대로 부서져 톱니 같았다. 몇 개의 치아는 잇몸부터 떨어져나가 보이지도 않았다. 결국 문헌대로였다. 천생 아이 같은 여섯 살 얼굴이 상어같이 뾰족한 치아를 드러내자 섬뜩한 인상을 주었다.

"아이가 오늘 아침에 자다가 팔을 침대 난간에 부딪혔어요. 또 부러졌더라고요. 늘상 있는 일이죠. 난간을 내렸다가 낙상이라도 하면 아이의 전신이 한번에 부서질 판이라, 그렇게 하지도 못합니다."

어머니는 아이의 팔이 부러진 경위를 일상처럼 덤덤하게 기술했다. 하지만 불행에 지쳐 이글거리는 눈빛을 나는 분명 확인할 수 있었다.

이제 엑스레이 필름을 확인해볼 차례였다. 매우 드문 질환이었기 때문에, 응급실에 있던 많은 의료진이 모여서 함께 필름을 보았다. 나는 하얀 가운을 입은 많은 사람들 앞에서 시커먼 엑스레이 필름을 꺼내, 환한 빛이 나오는 스크린에 한 장씩 걸었다. 한 장 한 장 걸 때마다 군중 속에서 탄식이 터져나왔다. 그것은 한 생명이 겪은 고통의 일대기였다. 이제 걸음걸이를 시작했을 왼다리, 막 말문을 틔웠을 시기의 오른팔과 어깨가 누군가 먹기 편하게 잘라놓은 과자처럼 동강 나거나 부러져 있었다. 금이 간 갈비뼈와 돌아간 왼발목에도 불구하고 그 사진의 주인은 흑백필름 안에서 끊임없이 자라났다. 시간이 지날수록 골절이 유합된 자리가 누적되어 전신의 뼈가 울퉁불퉁했고, 그 틈을 새로운 골절이 덮었다. 몇몇 의료진은 고개를 가로저었고, 필름은 무참히도 많아 줄어들 기미가 없었다. 나는 울먹이는 시선들 앞에서 아직 남은 필름이 들어 있는 봉투를 놓쳐 바닥에 떨어뜨렸다. 삶에 대항하기 두려운 느낌이었다.

'주여, 이것이 정녕 한 사람에게 닥친 고통이란 말입니까. 불행을 쏟아내기 위해, 꼭 이렇게까지 하셔야 했습니까. 주여.'

"특별한 치료 방법이 없다는 말을 어렸을 때부터 귀에 못이 박히게 들었어요. 괜히 병원 오가다 아이 뼈가 또 부러지고, 막상 병원에선 해주는 것도 없어서 제가 직접 아이를 지키려고 집에만 있었어요. 근데 오늘 아침엔 아이 팔이 너무 많이 휘어서 병원에 오지 않을 수가 없었어요."

어머니는 억척스럽게 그간의 얘기를 풀어놓았다. 아이는 화초처럼 보호받았음이 분명했지만, 그럼에도 성한 곳이 없어 보였다. 나는 이 말을 듣고 온 집 안이 이부자리로 덮인 좁은 집을 상상했다. 식탁과 의자의 팔걸이는 물론 온 집안의 모서리와 난간을 전부 때탄 이불과 헝겊으로 꼭꼭 싸맨 기괴한 집. 아이는 매일 느릿한 걸음으로 안전한 집 안에서만 돌아다니고, 밥을 먹을 때마다 가끔씩 부러진 치아를 뱉어내며, 어머니는 아침에 눈뜨자마자 아이의 사지가 온전한지 살펴야 하는 불행한 집.

정형외과에서 현재 상태를 파악하기 위해 엑스레이를 처방했다. 조금이라도 비틀어져 보이는 부분을 전부 처방하다보니 거의 전신을 촬영하게 되었다. 아이는 신중한 걸음걸이로 평생 수천 장 촬영했을 엑스레이 기계 앞에 서기 위해 나갔다. 어머니는 체념한 표정으로 아이를 따라갔고, 곧 새로운 일대기가 화면에 기록되었다. 그것은 우려했던 것보다 훨씬 참혹했다.

피부가 찢어지면서 아물면서 흉터가 남는 것처럼, 뼈가 부러진 자리에도 흉터가 남는다. 뼈는 천천히 유합되며 날카로운 골절면을 뭉뚱그린다. 그런 방식으로 전신에 시기가 다르게 발생한 골절이 수도 없이 찍혔다. 막 부러진 왼팔 근처에는 최근에 부러진 골절면이 겹쳐 있었고, 오른팔은 골절이 이미 너무 많아 울퉁불퉁했다. 발목은 한 번 돌아갔던 것 같았고, 나머지 다리의 뼈대도 삐뚤거렸다. 성해 보이는 부위가 별로 없어 방금 걸어서 나간 것이 되레 신기했다. 몸은, 몸이 아니라 조각이라고 불러야 할 것 같았다.

이 정도라면 부모라 해도 아이에게 손댈 수 없었을 것이다. 손을 잡고 걷거나, 꼭 껴안아 온기를 나누는, 흔히 사랑을 전달하는 행위조차 아이를 부술까 두려워서 할 수 없었을 것이다. 문득 내가 세상에 나와 눈을 뜬 그날부터, 항거할 수 없는 신이 나를 조각내고 갈가리 찢어버리는 상상을 했다. 과연 투쟁하거나 맞서 싸울 수 있을까.

입원하자는 권유를, 보호자는 완강히 거부했다.

"치료가 불가능하다고 누누이 얘기했으면서 왜 입원시키려는지 모르겠어요. 이 아이의 뼈는 한 번도 당신들 힘으로 붙은 적이 없어요. 예수님이 이 아이의 신체를 완성할 겁니다. 우리의 믿음이, 우리 스스로를 구원할 거라고요. 적어도 당신들처럼 아이를 조각내지 않고, 영혼이라도 한군데 모아주실 겁니다. 주님께 올리는 기도가 그것을 가능하게 할 거라고요."

그 말을 의료진은 완강히 거부했다.

"저희가 아이의 뼈를 영영 굳게 만들 수 없는 것은 사실입니다. 하지만 그건 신도 마찬가지입니다. 이곳에선 사람들이 밤낮으로 아이의 뼈를 지킬 겁니다. 적어도 저희는 그것을 가능하게 하려고 노력하는 사람들이란 말입니다. 그것을 꼭, 신께 전부 맡겨야겠습니까."

두 의견이 평행선을 달렸다. 설득이 불가능해, 결국 아이는 보호자와 같이 있어야 했다. 우리는 아이의 전신을 고정하는 것으로 퇴원을 허용할 수밖에 없었다. 곰 같은 몸집의 정형외과 의사 네 명은 업무를 처리하기 위해 아이를 처치실로 데리고 들어갔다. 아이는 닥쳐올 고통을 직감했는지 톱니 같은 치아를 부딪치며 높은 괴성을 냈다. 어머니는 울상이 되어 의사들 사이를 비집고 처치실로 따라들어갔다.

건장한 의사들이 삐쩍 마른 아이의 뼈마디를 붙잡아 끼워맞추며 하얀 솜과 석고 붕대를 감았다. 남자들의 커다란 손이 부러진 뼈를 붙잡고 늘어뜨려 맞추자, 아이는 안광을 빛내며 갈변한 치아 사이로 비명을 내뿜었다. 그러나 놀랍게도 아프다는 말이나, 단말마의 비명이 아니었다. 익숙한 고통을 감내하기 위한 행동일 뿐이었다.

"날 위해 기도해줘, 날 위해 기도해. 빨리, 예수님께 기도해줘. 기도하란 말이야. 기도, 날 위해 빨리 기도해줘."

수없이 겪었을 이 상황이 여전히 끔찍했는지, 어머니는 무릎을 꿇은 채 울며 붕대 사이로 삐져나온 아이의 손가락을 꽉 잡고 카랑카랑한 목소리로 화답했다.

"엄마가 널 위해 기도할게. 예수님과 너를 위해 기도할게. 제발 살아나줘. 지금 너를 위해 기도하고 있어, 예수님도 기도하고 계셔. 기도, 기도하고 있어."

이미 신음으로 혼잡한 응급실에 괴성을 지르며 눈물을 흘리는 모녀의 비명이 퍼져나갔다. 모녀의 세계엔 오직 고통과 기도만이 존재하는 것 같았다. 그 찢어지는 소리가 울리자, 응급실은 예배당처럼 경건해졌다. 눈물바다 속에서 흰 가운들은 묵묵히 아이의 조각을 한데로 모았다. 그것들을 맞춰 온전한 영혼을 만들기라도 할 것처럼.

작업을 마치자, 흡사 갑주를 입은 것 같은 아이는 이제 앉지 못하고 누워서 사지를 뻗고 있었다. 그리고 나서 고스란히 기도와 믿음이 기다리는 집으로 실려나갔다. 그리고 귀를 찢는 기도가 울려퍼지던 방금 전부터, 평생을 무신론자로 살아온 나도 기도하고 있었다.
하지 않을 수 없었다. 육신은 조각났지만, 한 덩어리였을 아이의 영
혼을 위해.

중증외상센터의
현실

2016년 9월 30일, 전주에서 교통사고를 당한 두 살 어린이와 할머니가 사망하는 사건이 있었다.

아이는 전북대병원이 있는 전주에서 교통사고를 당했다. 견인차가 두 살 아이의 허벅다리와 골반, 복부, 발목을 깔고 지나간 중증외상 환자였다. 골반을 교정하고, 복부를 열어 장기에서 뿜어져나올 피를 지혈하는 수술이 한시라도 빨리 필요했다. 더불어 발목에도 개방성 골절이 있어 미세접합수술로 닫아야 했다. 환자를 받은 전북대병원 응급실에서는 즉시 본원 수술이 가능한지 알아봤을 것이다. 시간은 오후 6시였고, 시스템상 야간에 열 수 있는 수술방은 두 개지만, 할머니와 동시 수술이 불가능했다.

본원 수술이 되지 않으면 즉시 수술이 가능한 병원으로 전원해야 한다. 그래야 해당 병원에서 환자가 처음부터 종합적인 처치를 받을 수 있어 생존율이 오른다. 가장 좋은 선택은 최대한 가까운 병원으로 가는 것이다. 그리고 현재 시스템은 일일이 전화해서 가능한지 그 여부를 알아보는 것이다. 담당의는 거리가 가깝고 외상치료가 가능한 병원에 하나둘 전화를 건다.

근처 원광대병원은 받을 사정이 아니라며 거부한다. 이제 전원 문의는 도를 가로질러야 한다. 대전의 을지대병원과 충남대병원, 광주의 전남대병원이다. 기본적으로 여기서부터 문제가 생긴다. 전라북도의 중증외상 환자는 전북대병원이나 원광대병원에서의 수술이 불가능하면 무조건 한 개 이상의 도 경계를 넘어야 한다. 아무리 빨라도 한 시간 반 이상 걸린다.

이제 전화를 받는 입장이 되어본다. 2세 중증외상, 발목 미세수술, 하나하나가 생사의 기로에 선 까다로운 요청이다. 게다가 소아 외상은 워낙 까다로운데다 환자가 오는 동안 위험도가 높아질 것이 분명하기에 책임 소재 문제가 발생할 수도 있다. 외상센터로 지정되어 있어도 충분한 여건이 갖추어져 있지 않으면 오히려 환자가 위험해질수 있으므로 전원을 받지 않는 것이 원칙이기도 하다. 그러니 기본적으로 부정적인 생각을 안고 전화를 받을 수밖에 없다. 전원을 못 받는 이유는 다양하며, 현실적으로 해당 병원에 모든 조건이 충분히 갖춰져 있기도 어렵다. 실제로 전원 문의를 해보면 수술방 부족, 중환자실 부족, 응급실 포화, 미세접합 불가능, 소아외과 수술 불가능 등의 이유로 이런 아이를 흔쾌히 받아주는 병원은 손에 꼽을 정도다. 게다가 단지 부정적인 생각 때문만이 아니라, 실제로 이런 것들이 전부

가능한 병원은 환자들이 몰려들어 이미 과밀화 상태다.

기사에 따르면 전북대병원은 전원 문의를 전국에 14통 걸었으나 여러가지 이유로 모두 실패했다. 전주에서 다친 외상 환자를 위해 전국에 전화를 걸어야 했다. 다행히 받아준다면, 환자는 수술이 필요한 상태에서 전국 어디라도 가야 하지만, 그마저 한 군데도 받아주지 않았다. 그래서 아이는 전북대병원 응급실에 여섯 시간 동안 대기하다가, 국립중앙의료원에서 연결해준 수원 소재 아주대병원까지 헬기를 타고 갔다. 아주대병원에 도착했을 때는 자정이었다. 그때 수술방에 들어간 환아는 다음날 새벽 4시 40분에 사망했다. 우리나라의 중증 외상 환자 치료 시스템의 민낯을 보여주는 사건이었다.

나는 여기서 시스템의 문제와 경제 논리에 대해서 이야기하지 않을 수 없다. 의료계도 다른 분야와 마찬가지로 경제 논리에 민감하다. 의사들은 많은 공부를 하고, 전문직임을 인증받기 위해 많은 투자를 한다. 그 결과 평생 일할 세부 분야를 정하게 된다. 이 선택에서 인기과와 비인기과를 나누는 기준이 무엇인지 우리는 알고 있다. 이는 결국 자신이 일한 만큼의 경제적 보상을 받을 수 있느냐 여부와 관련된다. 비보험이라 수가도 높고 생명과도 직결돼 있지 않은 피부과, 성형외과는 인기가 많고 보험이 적용돼서 돈도 많이 못 벌고 생명과 직결돼 있어 위험한 외상외과, 흉부외과는 인기가 없다. 비단 의료 분야뿐 아니라 모든 분야가 이런 논리로 작동된다.

같은 외상 환자의 전원 문의라도 수용 여부 역시 경제 논리를 따른다. 특이 병력 없는 일흔 살의 단순 고관절 골절이라면 전원이 용이하다. 특이 병력이 없는 디스크 환자나 단순 염좌로 입원이 필요한 사람도 마찬가지다. 하지만 외상을 입은 중환자는 전원을 거부당하기 일쑤다. 현재 우리나라 수가 체계상 돈이 되는 단순 수술이나 입원해서 안정 가료만 필요한 환자는 병원에서 이득을 볼 수 있지만, 응급수술과 중환자실 재원이 필요한 복합 외상 환자는 무조건 손해를 보기 때문이다. 따라서 중증외상 환자의 전원 시스템은 잘 갖춰져 있지 않다. 이처럼 환자를 전원 보내고 받는 과정에서 경제 논리는 생각보다 강력하게 작용한다.

게다가 같은 조건이면 누구나 지방에서 일하는 것을 싫어한다. 득이 분명하지 않으면 보통 지방 근무를 잘 선택하지 않는다. 직업적인 커리어를 쌓을 수 있거나, 경제적인 보상이 수도권보다 확연히 나아야 한다. 이런 이유로 지방이라도 백내장 수술하는 안과 의사나 노인성 질환을 보는 내과 의사, 정형외과 의사는 부족하지 않지만 외상외과 의사는 턱없이 적다. 지방에 가면 개업이 불가능하고, 외상 환자의 수가는 기본적으로 적자이기 때문이다. 병원에서 일자리를 없애고 관련 분야의 예산을 줄일 수밖에 없다.

그래서 사회적으로 중증외상 환자에 대한 논의가 부족했던 2012년 이전엔 외상외과 의사가 지방에 거의 상주하지 않았다. 당시 석해균 선장과 이국종 교수님의 일화가 화제가 되어 중증외상 환자 시스템이 국가적 어젠다가 되었다. 센터 선정 기준을 정해 지정된 센터별로 80억이 지급되었고, 보조금이 매년 10억 원 넘게 들어갔다. 전국적으로 2200억 원가량 투자되었다. 늦은 일이지만 나쁘지는 않았다. 외상외과 의사가 있으면 지원금이 생기므로 지방 병원에도 공고가 났고, 커리어를 쌓을 수 있어 그 수요만큼 외과의사가 각 시도 중심 병원에 몇 명 더 고용되었으며, 시설도 확충되었다. 그랬음에도 중증외상 환자는 병원 재정에 보탬이 되지 않았고, 책임 소재 문제가 다분해 다른 시도의 외상 환자까지 받기는 어려웠다. 그래서 정부가 2012년부터 외쳤던 '전국 어디서든 외상 환자를 살린다'는 말은 근본적 해결책이 빠진 공염불이 됐다.

2016년 8월 건강보험공단의 흑자는 20조 원이 넘었다. 이는 '건강보험'이 적용되는 분야에서 수가를 낮췄기 때문에 가능했다. '외상'은 대표적으로 보험 적용이 되는 분야이고, 많은 처치가 급박하게 이루어지므로 환수가 쉽다. 수가 자체도 낮은데다 적자가 발생할 수밖에 없어 병원 입장에서는 피하게 된다. 게다가 '소아 외상'은 난도도 높고, 전문의도 많이 없으며, 보험 적용은 더 엄격하다. 이런 경제 논리때문에 진짜 외상을 다루는 의료 분야에는 아무도 지원하지 않으며, 체계도 부실해지고 있다. 정부는 외상센터를 건립하고 보조금을 지원하고 있지만, 수가 시스템에서 비롯된 문제의 근원은 여전히 남아있다.

우리나라에선 1년에 3만 명이 외상으로 죽는다. 극단적으로 말해서 외상 환자를 치료하는 병원과 의사가 떼돈을 벌 수 있다면, 지방 어디서든 외상외과 의사가 여러 명 상주해 누군가 다치면 곧바로 투입되어 보호자는 그저 환자를 살려내기만을 기다리면 되지 않을까? 현실적이지는 않지만, 나는 가끔 이런 상상을 해본다.

이 사건 이후 보건복지부가 가장 서둘러서 한 대처는 놀랍게도, 책임 소재가 있는 전북대병원의 권역응급의료센터와 전원을 받지 않은 전남대병원의 권역외상센터 지정을 취소한 것이었다. 나는 이 문제의 근원은 입안자들에게 있다고 생각한다. 그리고 여기서부터 시각을 바꿔야 훨씬 더 나은 방향을 제시할 수 있다고 본다. 그들은 의료계 전반에 강력한 통제를 가하는 시스템을 구축해놓았으며, 2012년 이후 부랴부랴 외상센터의 기준을 확립하고 투자해왔다. 현장에 있는 사람들은 이 시스템하에서 일하고 있었다. 보건복지부가 투자하고 5년 남짓 시스템을 만들었음에도 이런 문제가 발생했다면, 시스템에 어떤 문제가 산재해 있으며, 재발하지 않을 개선 방안은 무엇이고, 추가로 어떤 투자가 어떤 방식으로 이루어져야 할지 검토하는 것이 정책 입안자가 응당 취해야 할 태도라고 생각한다. 하지만 그들은 실무자를 보조금으로 압박하는 방식을 취했다.

당장은 효과가 있을 수 있다. 강력한 의료통제하에서 지원금을 끊는 것보다 더 무서운 일은 없으므로, 현장에 있는 사람들은 '이런 사건이 재발해서 불이익을 보는 일'만은 피해야 한다고 생각해 어떻게든 당장 문제를 일으키지만 말자'는 방식으로 행동하게 된다. 당장 입안자들에게는 책임을 회피하면서, 문제를 잠잠하게 만드는 좋은 방식이지만, 문제의 근원은 해결되지 않고 여전히 남아 있다. 게다가 처음부터 '소아 중증외상'에 대한 권역의료센터 선정 기준은 명확히 세워져 있지 않았고, 전북대병원은 그 모호한 기준에 맞춰 일했을 뿐이다. 권역응급센터 선정이 취소되자 당장 전라북도의 권역응급센터는 공석이 되었다. 이 때문에 현장은 망가지고 퇴보했으며, 어김없이 다른 시스템을 갖추기 위한 비용이 필요하게 되었다. 이것이 좋은 해결 방식인가. 지원금이 어떤 방식으로 사용되었고, 무엇이 얼마만큼 개선되었으며, 어떤 미비점이 있어 아이가 사망하는 일이 발생했는가에

따른 대책을 논의하는 편이 종합적으로나 점진적으로 전국의 중증
외상 환자에게 도움이 될 것이다. 근본적인 해결 없는 임시방편은 '전
국 어디서든 외상 환자를 살린다'는 모토가 무색하게, 시스템의 미비
로 인해 사고가 날 가능성을 여전히 남기고 있다.

중증외상 환자는 끔찍한 상황과 마주하게 된 이들이다. 환자는 죽
음 직전의 고통에 계속 발버둥친다. 수술을 한다고 해서 고통이 덜어
지는 것은 아니다. 다만 외과의사가 수술했으니 나아질 거라고 믿으
며 고통을 참는 것이다. 어떠한 조치도, 희망도 없이 마냥 응급실에
서 고통에 몸부림치는 중증외상 환자들은 가만히 보고 있기에도 너
무 안타깝다. 어떻게든 수술방에 들어가서 고통을 덜어주고 싶을 정
도다. 하지만 우리나라의 외상환자 시스템은 여전하다. 2017년에도
한국에서 교통사고가 나면 다름아닌 시스템 문제로 인해 사람이 죽
는다.

외로움
일기

태초에 부재가 있었다. 인간이 예술을 만들어낸 것은 전부 부재 때문이다. 인간은 태초부터 사랑에 빠졌고, 그 사람은 언제까지나 영생할 수 없었다. 사랑하는 사람이 자기 곁에서 떠나가는 순간, 오감을 긁는 강렬한 슬픔이 언제나 예술을 만들어왔다. 그렇게 죽음은 영원한 부재를 의미했다. 또한 상실, 곧 죽음이 없었다면 어떠한 예술도 성립하지 않았을 것이다. 그리고 태고부터 인간은 혼자 태어났다. 나는 문득 어디선가 읽었던 이러한 대화를 기억한다.

"우린 너무 사랑하잖아요. 정말로 깊이 사랑하는 사이라면, 서로가 서로를 더이상 찾지 않게 어느 날 딱 붙어서 한몸이 되어버리면 좋지 않을까요?"

"하지만 우리가 하나가 된다면, 다시 혼자여서 외로울 거요."*

나는 일생 동안 외로워했다. 하지만 외로움이 이렇게 사람의 숨을 막아버리고, 몇 시간 동안 우두커니 앉아 있다 일어나면 정신이 쑥 빠져나갈 만큼 아찔한 것인지 미처 알지 못했다. 나는 외로움의 변방에서만 떠돌았고, 그 핵심에는 다가가지 못하고 있었다. 자고 일어나면 새로운 외로움이 찾아와 있다. 여생 동안 얼마나 더 거대한 외로움을 느껴야 할까. 남은 생은 고작 그 미지의 핵심에 족적을 찍어가는 일이 되는 것일까. 나는 그런 사람들을 많이 보았다. 자신의 숨조차 조절하지 못해 죽어가고 있다고 소리치며 자신의 목과 가슴을 부여잡고 실려오는 사람들. 병명은 과호흡증, 아니면 일시적인 불안 상태다. 그들은 자신의 폐가 되레 자기를 얽매고 있다고 주장한다. 수만 명이나 되는 그들의 차트에 나는 기계적으로 그렇게 적어왔다. '과호흡 상태, 곧 가라앉을 예정임.' 하지만 나는 이렇게 기록했어야 옳다. '극단적으로 외로운 상태, 죽어가고 있음.'

한 중학생이 농약을 들이켜 중환자실에 누워 있었다. 벌써 세번째였다. 그녀의 일은 누워 있는 것뿐이었고, 내 일은 하루에도 몇 번씩 그녀 앞에서 바삐 지나가는 것이었다. 각자 처한 상황은 달랐지만, 죽고 싶다는 기분을 느낀다는 점에서 어쩌면 우리는 비슷했다. 나는 그녀에게 몇 마디 말을 걸었고, 곧 그녀와 친해졌다.

우린 그녀가 순대집에서 아르바이트하며 당한 혹사와, 그녀의 전

* 호연, 『도자기』에서 변형.

215

남친이라는 옆 학교 일짱과, 내 인턴 생활의 잔혹함과, 방금 목에 칼을 맞고 죽은 환자에 대한 이야기를 나누었다. 물론 관심사도 각자 처한 상황만큼이나 달랐다. 하지만 대화하지 못할 이유는 없었다. 나는 농약 맛에 대해서는 아직 몰랐고, 그녀는 잘 알았다. 대신 그녀는 농약 마신 사람이 어떻게 치료받는지 몰랐고, 나는 알았다. 그것으로 얼추 공통의 관심사가 있다고 우리는 느꼈다. 고작 농약에 관한 것이었지만 말이다.

그녀가 퇴원하고 얼마 지나지 않아 병원 복도에서 그녀를 다시 마주칠 수 있었다. 환자복을 벗어 던진 그녀는 샛노랗게 염색한 머리에 치렁치렁한 귀고리를 달고, 나이와 어울리지 않는 독한 화장을 하고 있었다. 그새 나이가 몇 살은 더 들어 보였다. 나는 병원이 지겹지도 않냐고 물었고, 그녀는 이번에는 자기 친구가 입원했다고 답했다. 우리는 병원 편의점에 인스턴트 떡볶이와 음료수를 놓고 앉았다. 그녀는 모든 걸 잊은 듯 어떤 말에도 깔깔거리며 잘 웃었다. 그리고 핸드폰으로 친구들 사진을 보여주기 시작했다. 그 사진 속에는 내가 일생 말도 한마디 나눠보지 못했을 불량스러운 소녀들이 가득했다. 나에게 사진을 보여주는 잠깐 동안에도 그 괴기스러운 소녀들에게서 욕설이 가득한 문자가 쉴새없이 날아들며 휴대폰을 울렸다.

"아저씨, 얘 남친은 이 동네 통합 짱이고요, 얘는 지금 소년원에 들어가네 마네 하고 있어요."

"응, 딱 봐도 그럴 것 같다."

대화가 무르익고 떡볶이 국물이 바닥을 드러낼 때 나는 넌지시 물었다. 농약을 왜 마시게 되었냐고. 농약이 달큰한지 시큼한지도 물론 궁금했지만, 그것보단 그녀를 조금 더 잘 알고 싶어서 던진 질문이었다. 그녀는 단호하게 대답했다.

"아저씨는 혼자도 잘 논댔죠? 난 그걸 못해요. 그뿐이에요. 어쩌다 혼자 남겨지면 즉시 죽고 싶어져요. 죽기 위해서라면 뭐든 할 수 있을 정도로 강력하게. 그래서 손에 칼이 닿으면 팔목을 그어버리든지, 집에서 먹고 죽어버릴 만한 걸 찾아서 들이켤 수밖에 없어요."

턱을 괴고 말을 잇는 그녀의 어리고 순수한 눈빛이 강렬했다. 살짝 걷어올린 소매 사이로 보이는 팔목에 일련의 흉터가 선명하게 보였다.

잠이 오지 않는 어두운 방에서 나는 그녀를 떠올린다. 요샌 잠시이긴 하지만 매일 그녀가 떠오른다. 지금 나는 농약 맛도 알고, 목을 어떻게 그어야 효과적으로 죽을 수 있는지도 안다. 그래서 조금 더 구체적으로 죽음을 공상하거나 암흑의 핵심을 헤맬 수 있는 사람이 되었다. 어른이 되었다는 것은 고작 그런 차이다.

슬픔, 우울함, 괴로움 등의 감정은 외로움이 너무 큰 나머지 전부 말라버렸다. 그래서 나는 무정동無情動하고 무기력한 방식으로 누워 있다. 외로움의 경감은 인생의 필수불가결한 조건이다. 그 조건을 충족하지 못한 나는 어떠한 맛도, 어떠한 향기도 느끼지 못한다. 어떠한 욕구와 욕망도 내게서 달아나버린다. 나는 외로움 때문에 인간으로서 존재를 위협받으며 존재했다. 외로움은 인간을 외로운 멍청이로 만들어버린다.

이젠 그녀가 살아 있는지 여부를 전혀 알지 못한다. 그에 대해서 매우 회의적이다. 만약 살아남았으면, 과연 어떤 어른이 되었을

지…… 어쩌면 아직 어른이 되기를 거부하는 삶을 버티고 있을지도 모르겠다. 하지만 그녀가 품고 있던 날선 외로움이 아직 이 세상에 있다는 것은 안다. 그것이 내 안에 옮겨와 있기 때문이다. 혼자 남는 순간부터 쓰러져 공상에 시달리는 강박이, 그 감정을 엿들어버린 어른이 되었다는 죄로 내 안에 있다. 나는 매일 죽기 전에 잠들게 해달라고 기도한다. 그리고 눈을 뜨면 공상이 시작되기 전에 침대에서 화들짝 뛰어나온다. 죽음을 선고받은 숱한 군상처럼, 나는 두려움이 치밀어 떨고 있다. 이 겨울을 통과해가며 나는, 어쩌지 못하고 그런 어른이 되고야 말았다.

만약은
없다

평범해 보이는 할머니가 진료실로 들어왔다. 건강한 안색은 아니었
지만 특별히 나빠 보이지도 않았다. 응급실에 오는 노인들은 대개 그
런 안색이었다. 신부전이 있으나 투석할 정도는 아니어서 그냥 지내
고 있다고 했다. 그외에는 병원에 다닌 적도 없다고 했다. 응급실에
온 이유도 평범했다. 변비가 좀 심하다고 했다. 생각보다 변비로 고생
하는 노인들이 정말 많고, 그 정도도 심한 편이다. 그리고 그들은 가
벼운 처치만 해주어도 대부분 고마움을 전하며 퇴원한다. 이 처치를
위해 할머니는 경환 구역 진료실로 걸어들어왔다.

"변비는 얼마나 되셨어요?"

"하루이틀 못 봤나. 평소에도 변비가 조금 있긴 했는데, 오늘 밤엔
배가 조금 불편해서 왔어요."

선량해 보이는 할머니는 밤시간에 응급실로 온 것이 미안하다는 듯이 말했다. 평소 누구에게도 폐를 끼치지 않게 신경 쓰며 살아오신 분 같았다.

"괜찮아요, 아프시면 언제든 오시는 거죠."

나는 살짝 미소를 지어 보이고는 할머니의 배를 만져보았다. 조금 부풀어 있었으나 딱딱하지 않고 특별히 아파하시지도 않았다. 평범한 변비 같았다. 복부 사진을 확인하고, 관장을 좀 해드린 뒤 약을 드리면 될 거라고 생각했다. 할머니는 엑스레이 촬영을 안내받고 진료실을 나갔다.

복부 엑스레이 결과는 전형적인 변비로 보였다. 변이 제법 차 있고, 전반적으로 가스가 약간 차 있었다. 실은 상태가 정말 나쁘지 않은 이상 복부 엑스레이 결과는 대부분 비슷하게 나와서 큰 정보를 주지는 않는다. 나는 처치실에서 할머니의 직장을 수지로 검사했다. 변이 조금 만져졌으나 손가락으로 빼낼 정도로 가깝게 만져지지는 않았다.

"원칙상 처음부터 관장을 해드리지는 않아요. 약을 먹고 조금 지켜볼까요? 많이 불편하신가요?"

할머니는 조금 미안한 기색으로 대답했다.

"아랫배가 조금 불편한데, 빨리 괜찮아지는 방법 없을까요? 난 관장해도 괜찮은데."

실제로 약만 들려 보내기에는 조금 불편해 보였다. 특별한 경우가 아니라면 관장을 해도 크게 문제되지 않았다.

"여기 할머니 관장해드리고 증상을 조금 지켜볼게요."

나는 이렇게 지시하고 처치실을 나왔다. 관장 도구를 든 간호사가 처치실로 들어갔고, 잠시 뒤 결과를 말해주었다.

"나오는 건 별로 없었어요. 증상도 고만고만하시대요."

"알겠어요. 그러면 변 잘 보시는지, 불편한 건 좀 나아지시는지 수액 달고 조금 볼게요."

나는 그 시간 동안 몰려든 다른 환자들을 보고 있었다. 같이 시행한 기본적인 피검사에서는, 할머니의 말대로 신장 수치가 약간 높은 것 외에는 특별한 이상이 보이지 않았다. 꽤 시간이 지나고 자정이 넘어서야 나는 할머니의 상태를 확인하러 갔다. 그런데 증상이 많이 나아 보이지 않았다.

"이쪽, 누르면 불편하세요?"

"특별히 그렇지는 않아요. 배 아픈 건 비슷하고 변은 아직 잘 안 나와요. 그런데 선생님, 집에 보내주면 안 될까요? 아들이 제가 이 시간까지 안 들어가면 걱정해요. 아침에 아들 출근해야 하는데, 괜히 와본다고 하면 미안해서…… 저도 응급실에 있으면 불편하고요."

"그래도 원칙상 조금 지켜보는 게 안전할 것 같아요."

"아니에요, 선생님. 증상이 괜찮아지는 것도 같아요. 부탁드려요."

실제 변비 증상의 99퍼센트는 저절로 괜찮아진다. 게다가 이 할머니의 마음씀씀이가 어떤지 알 것 같았고, 혼잡한 응급실에서 환자를 조금 줄이고 싶기도 했다. 하루에도 몇백 번씩 선택해야 하는 선택지 중 하나였다. 나는 알겠다고 하고는 사무적인 설명을 덧붙였다.

"변비는 단순 변비가 대부분이지만 가끔 다른 원인으로 인한 증세일 수도 있습니다. 나중에라도 추가 검사가 필요할 수 있어요. 집에 가서 증상을 지켜보고 복통이 더 심해지거나 가라앉지 않으면 응급실로 반드시 재방문하시고, 꼭 가까운 시일 내에 소화기내과 외래로……"

"네, 선생님 고맙습니다."

할머니는 수액을 빼자마자 약을 들고 퇴원했다. 그날 집에 간 백여 명 중 한 사람이었다.

밤은 나름대로 평온했다. 보통 응급실의 밤은 평온하지 않으므로, 되레 평범한 밤은 아니었다. 새벽 무렵엔 언제나처럼 전날 내원한 환자의 명단을 기계적으로 외웠다. 아침 8시부터 진행되는 브리핑에서는 무난했던 밤 사이의 환자들에 대해 발표했고, 사람들은 별 질문 없이 들었다. 브리핑이 끝나자 의국원들은 현재 응급실에 있는 환자를 직접 확인하기 위해 바깥으로 나와 회진을 돌았다. 여기서도 특별한 환자는 없었다. 그런데 회진마저 마무리되어 내 듀티가 끝나갈 무렵, 카트 하나가 들어왔다. 어젯밤에 집에 갔던 할머니였다. 배가 아주 심하게 부풀어 있고, 어제 나와 대화하던 온화한 표정은 오간 데 없이 일그러져 있었다. 나는 카트로 뛰어가서 상태를 확인했다.

"할머니, 괜찮으세요?"

"으, 으으."

그의 아들로 보이는 사람이 옆에 서 있었다. 평소처럼 출근 준비까지 다 해놓고 결국 응급실로 온 것처럼 복장이 단정했다. 다급해 보였지만 느껴지는 분위기가 그의 어머니처럼 경우가 바른 사람 같았다. 그는 내가 자신의 어머니를 바로 알아보자 급하게 설명했다.

"어젯밤에 여기 다녀가셨다는데, 오시자마자 계속 아프다고 끙끙

대셨어요. 한숨도 못 주무신 것 같아요. 제가 새벽에 잠시 잠들었다 일어나보니 땀으로 범벅이시고, 아예 대답도 못하셔서 달려왔습니다."

할머니의 복부는 이제 비정상적으로 팽만해 있었다. 청진기를 대자, 장이 움직이는 소리가 약했다. 배를 누르자 할머니는 통증에 반응하며 몸부림쳤다.

"할머니, 정신이 드세요?"

이번엔 별다른 대답이 없었다. 의식이 떨어지고 있었다. 심각한 징후였다.

"빨리 여기 라인, 엑스레이, 그리고 풀랩_{혈액검사} 해주세요."

할머니는 비정상적으로 손발을 꿈틀대며 즉시 중환자 구역으로 빨려들어갔다.

나는 무슨 일이 벌어진 것일까 생각했다. 증상은 변비와 약간의 복통, 기저 질환은 역시 변비와 약간의 신부전으로, 분명 평이했다. 그리고 이전의 그 많은 변비 환자들은 전부 치료받고 아무런 문제 없이 퇴원했다. 이론상 변비로 내원한 환자에게서 감별해내야 하는 각종 질환은 전공서적에 잔뜩 적혀 있었지만, 실제로는 아주 평화로운 증상이었다. 하지만 할머니에겐 하룻밤 만에 복부팽만과 의식저하가 찾아왔다. 잘못돼도 한참 잘못된 경우였다. 머릿속에서 대학 교재의 감별 진단 항목이 좌르륵 지나갔다. 암으로 인한 장폐색_{창자막힘증}? 혈액 공급이 부족해 생기는 허혈성 장 질환? 장중첩_{장의 일부가 장의 안쪽으로 들어가는 것}? 심한 마비? 그게 왜 갑자기 지금…… 문득 교수님이 스치듯 한 이야기가 떠올랐다.

"책에 있는 드문 경우들이 눈앞에 평생 안 올 것 같지. 결국은 한 번씩 다 겪기 때문에 적혀 있는 거야."

나는 중환자 구역으로 따라들어가 환자를 더 자세히 진찰하기 시작했다. 일단 비정상적으로 부풀어 있는 윗옷을 풀어헤치자 흡사 금방이라도 터질 것 같은 복부의 맨살이 드러났다. 겉으로 짐작했던 것보다 훨씬 심해, 어젯밤에 봤던 그 배라고는 믿기 힘들 정도였다. 전반적으로 마른 몸이었으나, 복부가 부풀어 골반과 옆구리 쪽의 살과 가죽이 힘껏 위로 당겨져 있고, 투명하고 푸른 정맥이 그 한가운데에서 넓은 간격으로 위태롭게 벌어져 있었다. 복부의 모양이 전반적인 몸과 너무 어울리지 않아, 흡사 감당하기 힘든 짐을 배 속에 전부 짊어진 사람 같았다.

나는 데이터를 파악하기 시작했다. 혈압도 낮았고, 맥도 느렸으며, 산소포화도도 낮았다. 이것으로 신경과 관련 없는 복부의 문제로 환자가 의식이 없는 점을 설명할 수 있었다. 순환부전 때문에 머리로 피가 가지 않는 심각한 증세였다. '일단 CT를 찍어야 해. 원인을 알아야 살릴 수 있다. 아 참, 신부전 때문에 조영제CT 촬영시 혈관 모양을 보기 위한 주사제를 쓸 수 없지. 그러면 신장 수치를 확인할 필요가 없으니 빨리 찍자. 어젯밤 내가, 나중에라도 추가 검사가 필요할 수 있습니다, 라고 했던가. 정말 필요해졌군, 제길.'

"여기 조영제를 사용하지 않는 CT로 바로 준비해주세요. 일단 기도 확보하고, 정맥관 삽입 후 가겠습니다."

의료진은 많고 환자는 적은 한산한 아침 시간이었다. 처치를 한 명씩 맡아서 해결하자 모든 준비가 금방 마무리되었다. 어젯밤까지만 해도 나와 평화로운 대화를 나누던 할머니는 삽시간에 중환자로 변했다. 나는 그 와중에 환자의 부푼 배를 오른쪽 두번째와 세번째 손가락을 모아 튕겨보았다. 속이 비어 공을 두들기는 것 같은 소리가 났다. 연유는 알 수 없지만 안에 가스가 터질 듯이 차 있다는 신호였다.

중환자의 모습으로 할머니는 즉시 CT실로 옮겨졌다. 검사 시간이 얼마 걸리지 않을 테니, 빨리 확인하고 치료 방향을 정하고 싶었다. 할머니는 기계가 철컹거리는 소리만 울려퍼지는 응급 CT실 침대로 옮겨졌다. 나는 두꺼운 통유리 바깥 검사실에 자리를 잡았다. 침대는 천천히 위로 올라가더니 동그랗게 뚫린 구멍으로 고요히 들어갔다. 흑백 화면에선 방사선사가 환자의 위치를 잡고 있었다. 나는 화면을 물끄러미 주시하다가, 환자에게로 다시 고개를 돌렸다. 환자는 입에 꽂힌 튜브로 간신히 숨을 빨아들이고, 흉부가 비정상적으로 우그러들어 있었다. 심장박동이 설명할 수 없게 흔들렸다. 곧 흉부가 기묘하게 고요해지더니 심장박동의 진동이 눈앞에서 일렁거렸다. 나는 방사선사에게 소리 질렀다.

"그만! 심정지다. 심정지예요. 그만."

나는 문을 박차고 나와서 환자에게 달려들었다. 통 가운데 누워 있던 환자의 옷깃을 한번에 붙들고, 급하게 환자가 타고 온 침대로 환자를 빼냈다. 따라온 방사선사가 나를 도왔다. 환자의 배는 그 짧은 사이에 더 부풀어 있었다. 나는 침대 위에 타고, 할머니의 흉부를 있는 힘껏 누르기 시작했다. 할머니의 손발이 전혀 움직이지 않고 내가 흉부를 짓이길 때만 조금씩 움찔거렸다.

"여기 엠부 짤 사람과 베드 밀어줄 사람 빨리 불러주세요. 이대로 응급실로 돌아갈게요."

곧 사람들이 달려왔다. 그리고 한 사람이 다른 사람의 흉부를 짓이기는 그 모습 그대로 침대는 구르기 시작했다.

심정지가 일어난 사람에게 아무런 처치도 하지 않으면 그 사람은 반드시 죽는다. 여기서는 어떠한 우연도 없다. 현대 의학과 심폐소생술이 없었더라면 심정지는 죽음과 동의어였을 것이다. 하지만 의사가 눈앞에서 목격했다면, 심정지를 되돌릴 수 있다. 환자에게 고약한 기저 질환이나 도저히 돌아오지 못할 사유가 있지 않은 한, 적어도 당장 목숨을 잃게 하지는 않는다. 그리고 일단 생명의 끝을 붙잡아놓은 의사에게는 어쩔 수 없이 그 사람의 남은 삶에 대한 고뇌가 필연적으로 이어진다.

하여간 나는 그 심정지를 목격했다. 그것은 내가 목격한 무수한 심정지 중 하나였다. 그리고 나는 의사였으므로, 그녀는 죽음으로부터 돌아왔다. 중환자 구역으로 돌아온 할머니는 다시 숨을 몰아쉬었다. 원인은 아직 아무것도 밝혀진 바가 없었다. 다만 이미 심정지를 겪은 것으로 미루어 뇌와 심장, 기타 저산소 환경에 민감한 장기들이 손상되고 부푼 배에도 허혈성 손상이 누적되고 있었다. 그것이 죽음과 구체적으로 어떻게 다른지는 알 수 없지만, 환자는 진짜 죽음으로 향해 가고 있었다.

순식간에 상황이 너무 악화되어 나는 간밤의 피로가 몽땅 날아가버리는 느낌이었다. 침착하게 상황을 정리해야 했다. 순서대로 하나씩, 그래, 감압을 시도하자. 나는 창자의 압력을 빼내기 위해 환자에게 비위관과 직장 튜브를 넣었다. 병원에서 가장 두꺼운 콧줄이 환자의 코에 들어가고, 직장에도 두꺼운 튜브가 들어갔다. 공기가 거꾸로 들어가는 것을 막기 위해 직장 튜브의 반대쪽 끝은 물통에 들어 있었다. 하지만 이러한 시도에도 복부는 더욱 심하게 부풀어오르고 있었다. 소장과 대장이 저렇게 주름이 펴질 정도로 부풀면, 인체는 엄청난 양의 수분을 잃어버리게 된다. 평평한 창자 사이에서 다량의 수분이 증발해버리기 때문이다. 이렇게 인체가 심각한 탈수 상태일 때 가장 민감하게 반응하는 장기는 신장이다. 그리고 시간당 소변량을 확인하면 신장 기능이 제대로 작동하는지 알아볼 수 있다. 나는 환자에게 매달린 소변통을 확인했다. 소변이 한 방울도 맺혀 있지 않아, 새 소변통을 막 뜯어 매달아놓은 것 같았다. 나는 환자가 신부전이 있었다고 언급했던 사실을 다시 떠올렸다. 하필 간부전도 심부전도 아닌 신부전. 나는 이 우연과도 같은 사실이 환자를 삶의 경계 바깥으로 더욱 힘차게 떠밀고 있다는 느낌을 받았다.

환자의 심정지 원인은 일단 순환부전이다. 물리적인 심장의 압박도 요인이 될 수 있겠지만, 1차적으로 장에서 엄청난 수분 손실이 발생했기 때문이다. 여기서 환자에게 수액을 마구 부으면 당장은 괜찮아지겠지만, 신장이 망가져 소변이 나오지 않으면 환자는 결국 물에 빠진 것처럼 불어버린다. 그렇다면 투석을 돌려야 한다. '투석까지 고려해야 하나. 장이 부풀어서 투석을, 필요하면 해야지.' 나는 수액과 승압제혈관수축제를 부어 간신히 혈압을 확보하고 다시 CT실을 호출했다. 이번에는 아예 기사실에 들어가지 않고 기계 옆에서 엠부를 붙들고 심전도 그래프와 환자를 애타는 마음으로 번갈아 지켜보았다. 조마

조마한 시간이 지나갔다. 다행히 환자 혼자 침대에 누워 응급실로 돌아올 수 있었다.

나는 목숨을 걸었던 CT 사진을 보고 있었다. 투석을 돌릴 생각으로 조영제까지 써서 찍은 CT 사진이었다. 지푸라기 같은 실마리나 희망이라도 잡고 싶었다. 화면엔 성인 남자의 손목 굵기 정도로 부풀어버린 장이 한정된 공간인 배 속에서 엉킨 모양으로 가득 차 있었다. 그것은 압력을 심하게 가했으나 절대로 터지지 않는 풍선처럼 배 속에서 제멋대로 인접한 장기들을 짓누르고 있었다. 아래쪽으로 자궁과 방광이 한껏 눌려 있었고, 위쪽으로는 횡격막이 눌려 폐가 쪼그라들어 있었다. 저것만으로도 숨이 턱끝에 닿는 느낌, 혹은 죽어가는 느낌이었을 것이다. 심장도 아랫면이 위로 심하게 눌려 있고, 식도까지 쪼글거렸다. 흉부 자체가 줄어들어버린 모양이었다.

나는 얼핏 구분할 수 없는 창자로 가득 찬 그 흑백사진을 몇 번이고 앞뒤로 연결해서 노려보았다. 암 같은 덩어리는 보이지 않았다. 허혈성인지도 분명하지 않았고, 마비성인지도 분명하지 않았으며, 장중첩인지도 분명하지 않았다. 이미 그 사진은 원인을 알아볼 수 없을 정도로 망가진 상태만 드러내고 있어, 처음 원인이 아예 제거된 상태로 보였다. 이건 누가 보더라도 판단할 수 없는 영상이었다. 하지만 이제 CT 사진이 있으니, 최소한 누군가와 상의해볼 수는 있을 것이다. 다만 이것이 환자의 목숨을 걸고 CT를 찍은 의미인지 혼란스러웠다.

상황을 다시 정리해보았다. 일단 감압이 필요하다. 절대적인 폐색이 관찰되지 않으니, 기적처럼 감압만 성공하면 환자는 산다. 이 창자

안의 검은 공기가 기적처럼 광활한 우주 어딘가로 날아가버리면, 모든 것이 정상으로 돌아온다. 천천히, 환자는 나아질 수 있다. 그리고 소변이 안 나오니 무조건 투석을 돌려야 한다. 그런데 이 복부를 외과적으로 열어 감압할 수 있을까. 아마 수술방에서 배를 가르는 순간 창자가 사방으로 튀어나올 것이고, 뱃가죽을 닫지도 못할 것이다. 그래도 압력이 빠지니 살 수는 있을까. 죽음보다는 낫지 않을까. 알아보자, 한번 봐달라고 해야겠다. 나는 거칠게라도 이 검은 공기가 그 좁은 곳에서 빠져나가 지구상에서 사라져버리는 장면을 상상했다.

생각이 정리되자, 다시 환자에게로 시선을 돌렸다. 이제 환자의 배는 너무 심각하게 불러, 아예 구球와 비슷한 형태를 띠고 있었다. 복부 아래위로 압력이 너무 심해 직장에 꽂힌 튜브 바깥으로 직장이 뒤집혀 나올 것 같았고, 음부에선 자궁이 빠져나올 것 같았다. 호흡을 확인하기 위해 흉부를 바라보자, 폐가 짓눌려서 폐활량이 반으로 줄어든 것 같았고, 호흡기가 간신히 그 압력을 이겨내고 있었다. 이 압력, 사람을 미쳐버리게 하는 압력이었다.

신장내과에 바로 전화를 걸었다. 신장내과에선 회진중이니 나중에 통화하겠다고 했다. 맥없이 전화를 끊고 일반외과에 전화를 걸었다. 이번에도 응급수술중이라 나중에 통화하겠다고 했다. 어쩔 수 없어 응급투석관을 먼저 준비했다. 나는 환자의 허벅지에 손을 대고 동맥 주행을 머릿속으로 그린 후, 그 주행을 따라 굵은 투석용 카테터를 주저없이 찔렀다. 시뻘건 피가 쭉 뿜어져나왔다. 세 번에 걸쳐 입구를 넓히고, 투석관을 삽입했다. 핏줄기가 쏟아져 수술복에 방울방울 튀었다.

투석관을 확보했지만 기계가 와야 투석이 가능했다. 나는 피를 뒤집어쓴 채 환자 옆을 지키고 있었다. 시간이 제법 지났지만, 소변은 아직 한 방울도 나오지 않았다. 신장내과 회진은 한 시간도 넘게 걸렸고, 혈액검사 수치가 전반적으로 악화되고 있었다. 신장내과에서는 뒤늦게 찾아와 환자를 파악하더니 즉시 응급투석기를 준비하러 갔다. 마침 준비된 기계가 없어서 이 과정에서 30분이 더 걸렸다. 두 시간 만에 기계가 돌아가기 시작했다.

이제 외과적인 결정만이 남았다. 내과 주치의와 나는 외과의 선택이 결정적일 것이라는 데 의견을 같이했다. 하지만 그전에라도 압력이 빠져준다면 수술 여부와 상관없이 호전을 기대할 수 있었다. 응급수술을 마치고 내려온 일반외과 선생님은 끔찍한 지경이 된 환자의 배를 두들겨보더니, 내가 했던 것처럼 CT를 열어 몇 번 돌려보면서 깊이 고민했다. 그리고 내게 말했다.

"원인은 잘 모르겠지만, 이거 우리가 열겠습니다."

"열면 못 닫을 것 같은데, 괜찮나요?"

"안 열면 죽을 것 같으니, 해보겠습니다."

외과 선생님은 수술을 준비하겠다며 올라갔다. 하지만 외과는 막 응급수술을 끝낸 참이었고, 다른 과 응급수술이 이어서 진행되고 있었다. 그게 마무리되어야만 어떻게든 내 환자 차례가 올 것이었다. 머릿속이 죄어드는 기분이었다. 나는 듀티가 끝난 뒤라서 아예 할머니 옆에 앉아 있었다. 적어도 환자가 수술방으로 올라가기라도 해야 퇴근할 마음이 조금이라도 생길 것 같았다. 그러나 시간이 계속 지체되어, 1분 1초가 환자에게 위해를 가하는 것처럼 느껴졌다.

배는 더이상 부풀지 않았지만, 허혈성 손상이 누적되어 말초순환부전으로 진행되고 있었다. 손과 발이 눈에 띄게 거무죽죽하게 변해갔다. 아마 한두 시간만 더 지나면 손발이 시커멓게 변하며 괴사가 시작될 것이었다. 그렇다면 환자가 살아난다고 해도 손발을 잘라야 하는 지경까지 올 수 있었다. 팔, 다리, 신장, 뇌, 창자. 지켜내야 할 것이 너무 많았지만, 점차 긴장이 풀리며 강박과도 같은 피로가 쏟아졌다. 나는 머릿속에서 수액과 감압, 아직 아무도 알지 못하는 창자가 팽창한 연유를 강박적으로 떠올리며 피로에 맞섰다. 승압제를 조절하고 수액을 바꾸며 배를 눌러보기도 하고, 별 차이 없는 호흡기 세팅을 실시간으로 바꿔가며 버텼다. 하지만 상태가 조금도 나아지지 않았다. 나는 그냥 기적을 기다리며 갈구하는 사람 같았다. 그렇게 두 시간을 버티자, 드디어 수술방에서 호출이 왔다.

손발까지 썩어가는 할머니의 배를 명치부터 크게 열어버린다면, 그걸 살리려는 행위라고 부를 수 있을까. 혼란스러웠다. 그냥 고통을 배가시키는 행위 같았다. 하지만 육체의 탈진과 만성적인 고뇌가 범벅되니 정확한 판단을 내리기 어려웠다. 나는 내 머리를 세게 한 번 때렸다. 그러자 머리가 약간 맑아졌다. 마지막까지 나는 저 심전도를 노려봐야 한다. 그리고 다시 생각하자. 일단 노려보자. 환자 곁엔 의료진이 달라붙어 마지막으로 수술방에 갈 준비를 하고 있었다. 이번에도 풀린 내 눈가에 심전도가 아른거렸다. 아른, 아른, 이윽고 나는 지친 목소리로 나직이 말했다.

"심정지다…… 심정지."

이번에도 의사가 목격한 심정지가 되었다. 그리고 이번에도 그 의사는 내가 되었다. 하지만 이번 심정지는 기저 질환이 누적되어 도저히 돌아오지 못할 사유에 해당했다. 게다가 돌아오지 않으면 수술을 진행할 수도 없었다. 할머니는 이미 어딘가로 완전히 건너가 있었고, 기적만이 할머니를 이편으로 데려다놓을 수 있을 것이라는 생각이 들었다. 할머니의 몸에는 기도 확보용 튜브와 비위관, 중심정맥관, 투석관, 소변줄, 직장 튜브, 말초 정맥 라인, 동맥 라인이 확보되어 있었고, 할머니의 흉부가 또다시 짓눌리자 모든 게 요동쳤다. 이 모든 노력의 의미가 무엇일까. 머릿속이 곤죽이 된 것처럼 판단할 수가 없었다. 다만 할머니가 이제 돌아오지 않을 것이라는 판단은 할 수 있었다. 할머니의 사지와 연결된 라인들이 한참 동안 격렬히 요동쳤다. 결국 나는 대답을 듣지 못할, 마지막 말을 할머니에게 남겼다.

"2시 23분, 사망하셨습니다."

그녀와 다시 조우한 지, 약 여섯 시간 만의 일이었다.

나는 아들에게 할머니가 돌아가셨다고 전했다. 그는 피를 뒤집어쓴 내가 깊은 피로에 절어 있는 모습을 보자마자 그 사실을 절감하곤, 내 말이 떨어지기 무섭게 오열하기 시작했다.

우리는 TV 드라마에서 제 어머니나 아버지의 죽음을 받아들이지 못하는 경우를 많이 보곤 한다. 그들은 "왜 멀쩡하던 사람이 돌아가신 겁니까?" "과실이 있었던 것 아닙니까?"와 같은 말을 뱉어내며, 벼락처럼 떨어진 사실을 받아들이지 못해 의사의 먹살을 잡아챌 기세로 울부짖는다. 하지만 현실에서는 이런 경우가 드물다. 대부분의 보호자는 사망선고를 듣자마자 눈물을 삼키며 체념한다. 그것은 병원이나 의사에 대한 신뢰에서라기보다는, 인간의 생명이 어느 때건 끝날 수 있다는 사실, 그리고 생명은 결국 유한하다는 사실을 누구나 잘 이해하고 있기 때문이다. 이것은 죽음에 관한 신뢰라고 불러야 할 것이다.

반듯해 보이는 할머니의 아들은 소식을 전해듣자마자 오열했지만, 이미 그것을 순리로 받아들이기 시작한 것 같았다. 그리고 그것은, 실제 순리일 수도 있었다. 할머니는 자신이 원해 퇴원했고, 그 선량한 성격 때문에 자신의 통증을 마음껏 표현할 수 없었으며, 한 의사의 노력에도 불구하고 죽었다. 사람이 죽었는데, 어떤 우여곡절이 없었겠느냐는 말은 결국, 그 우여곡절조차 응당 정해진 일이나 운명에 포함될 수 있다는 뜻이기도 하다. 나는 쏟아지는 아들의 곡소리를 들으며, 할머니의 눈동자를 멍하니 바라보았다.

나는 실타래처럼 엉킨 생각을 풀고, 최대한 명료하게 복기하려고 노력했다. 그리고 일단 무한대에 가까운 경우의 수를 하나하나 떠올려보았다. 간밤에 할머니가 집에 간다고 하지 않았더라면, 통증을 적극적으로 표현하시거나 그 와중에 아들을 생각하는 마음을 잠시 접어두셨더라면, 내가 끝까지 붙들었다면, 애초에 밤이 아니라 낮이어서 집에 갈 필요가 없었거나 어떤 이유로든 집에 갈 상황이 아니었더라면, 악화되자마자 바로 병원으로 돌아왔다면, 신장내과 회진이 없고 수술방은 마침 텅텅 비어 있으며 일반외과가 바로 결정을 내려 수술방까지 내달렸더라면, 감압이 기적적으로 성공했더라면, 아니 신장병만이라도 없었더라면, 있다 해도 조금만 더 늦게 진행됐더라면, 옆에서 간절히 버티던 나를 봐서 할머니가 조금만 더 버텨주었더라면.

수없는 '만약'과 선택의 기로가 머릿속에서 교차했다. 이 지독한

'만약'들. 분명 이렇게 상반되는 최선의 상황이 이어졌다 해도 할머니는 사망할 확률이 높았다. 하지만 죽음은 어떤 방식으로 해석해도 최악이다. 그리고 이 죽음보다 나쁜 경우의 수는 존재하지 않는다.

수없이 일어나는 응급 상황 중에서 같은 것은 없다. 나는 늘 급변하는 상황에서 무한대에 가까운 다른 대처를 해야 한다. 이 미묘한 선택의 조합은 의학적으로 최선일 수 있지만, 어느 때는 환자가 죽고 어느 때에는 살아난다. 그러나 논리적으로 증명된 바 없는 영역에서 드러나는 선택의 차이는 인간의 영역에 속한 것이 아니다. 보통 이 문제에서 최선을 다한 인간에겐 책임을 지우지 않는다.

하지만 최선은 정답이 아니다. 그래서 법적으로는 책임이 없을지라도, 양심의 책임으로부터 자유로울 수 있느냐는 질문이 발생한다. 병원 환경, 축적된 의학 지식의 정도, 실시간으로 변해가는 환자의 상태와 수많은 생체 징후, 이에 따른 사소하고도 사소한 우연, 그 가운데 내가 붙들고 있는 신념이 온통 머릿속에서 사투를 벌인다. 아무리 이 모든 일을 되돌려 복기해봐도, 사람이 사람의 목숨을 책임진다는 일, 그리고 사망을 직접 선고한다는 일은 한없이 엉키는 실타래와도 같아 풀리지 않는다. 집요하게 생각하고 또 생각해도, 자신이 입을 열어 세상을 떠나보낸 사람에게 떳떳해지는 일은 일어나지 않는다. 그러니 이것은 거듭할수록 불행에만 가까워지는 일에 다름아니다. 나는 생각한다. '만약'은 없다. '만약'이 없을 수 있게, 도저히 생각조차 나지 않아 내가 내뱉을 말에 어떠한 가책도 느끼지 않게, 최선을 다하는 것이 내 일이다.

생각이 끝날 때까지 나는 할머니의 풀린 눈동자를 바라보고 있었다. 어젯밤 한없이 선량했던 할머니의 표정과 말투가 떠오르는 것 같았다. '죄송합니다. 영면하세요, 부디.' 나는 드디어 몸을 일으켰다. 집문을 열자마자 암실로 직행해 몸을 부려놓을 작정이었다. 이대로 끝없는 잠에 빠져들 것만 같았다.

마지막
성탄절

20대 마지막 겨울이었다. 연말이 지나면 나는 새로운 30대를 맞이하게 되어 있었다. 생애 한 번뿐인 스물아홉의 크리스마스와 서른의 새해, 나이 앞자리 숫자가 바뀐다는 것만으로도 사람들에겐 희망이나 새로운 각오를 불러일으킬 것이었다. 하지만 나는 끝이 보이지 않는 고된 근무의 한가운데 있었다. 사람들은 매일 상상할 수 없을 만큼 심하게 아팠고, 나는 이미 시들어 있었다. 반복되는 고통 속에서 존재의 위기감이 늘 엄습했고, 기록해야겠다는 열망은 말살되어 글을 한 줄도 쓰지 못하는 날들이 이어졌다. 이런 날이면 으레 눈이 소복이 내리고 사랑하는 사람들에게선 한 통의 연락도 오지 않게 마련이었다.

그렇게 20대의 마지막 성탄절 전날 아침에도 나는 쓸쓸함을 안고 응급실로 향했다. 눈발은 솜처럼 따뜻했고, 사람들이 내뿜는 입김은 포근해 보였으며, 나 홀로 딱딱하고 외롭게 얼어붙은 듯했다. 나는 감정을 숨기고 목도리로 얼굴을 감싼 채 응급실로 들어와 평소처럼 근무를 시작했다.

특별한 날에 자신의 처지를 비관한 사람이 있었다. 그는 모두가 행복을 느끼는 크리스마스이브가 다가오자 세상에서 자신만 행복하지 않음을 깨달았다. 그리고 저주받을 감정들 사이에서 우뚝 솟아오른 제 우울의 무게를 이제는 도저히 감당할 수 없다고 느꼈다. 그의 마음을 그렇게 헤아려보더라도, 그 일을 설명하기에는 너무 어처구니없었다.

일단 그는 크리스마스이브 날 집에 있었다. 늘 그렇듯, 부모는 나가고 그는 홀로 집에 있었다. 그에겐 사랑하는 사람도, 만날 사람도, 그리고 희망도 없었다. 매일 그는 빈집에 남아 우주로 사라져버릴 방법을 골똘히 강구했다. 그리고 그에겐 그 좁은 집에서 늘 주시하던, 자신을 먼지로 만들어버릴 수 있는 한 가지 주황빛 수단이 있었다. 모두가 행복감에 마음이 부풀어 있던 그날, 그것은 유난히 도드라져 보였다.

그는 밤새 결심한 뒤 유서를 썼다. 글을 써내려가자 마음이 더 굳어졌고, 좀처럼 잠이 오지 않았다. 여느 때처럼 아침이 되고 부모가 일하러 나가자 그는 그 일을 결행하기 시작했다. 그는 아무도 없는 주방으로 가서 잘 벼른 칼을 집었다. 그러곤 눈여겨봐온 주황색 가스호스를 사정없이 썰어버렸다. 비스듬하게 잘린 호스가 요동치며 눈에 보이듯 가스가 맹렬히 새어나왔고, 매캐한 냄새가 좁은 집 안을 채워나갔다. 그는 그 냄새를 맡으며 식탁 위에 올려놓은 유서를 다시 한 번 읽었다. 나쁘지 않았다.

겨울이라 창이 전부 닫혀 있어 곧 대기보다 가벼운 가스는 천장부터 차곡차곡 채워져 아래쪽으로 넘실댔다. 그는 코를 찌르는 냄새를 맡으며 자신의 몸이 오늘 드디어 우주를 향해 떠나는구나, 생각했다. 그러고도 한참 시간이 흐를 때까지 기다렸다. 이제 집 안에는 공기보다 가벼운, 흡사 우주 같은 대기만 가득했다. 그는 유서를 눈앞에 내려놓고, 준비해두었던 라이터를 만지작거렸다. '짤깍.' 그 작은 소리에 이어 곧 천지사방을 부숴버릴 듯한 소리가 터져나갔다.

불길이 그의 손에서 뻗어나갔다. 그 순간 그는 마치 조물주가 된 듯한 기분이 들었다. 이어서 그 공간의 대기는 굉음과 함께 한꺼번에 불탔고, 그를 둘러싼 피부를 포함한 공간 안의 모든 표면에서 동시에 불길이 치솟았다. 단방에 날아가버릴 듯한 굉음과 함께 집이 폭발하자, 너무나 놀란 사람들이 그 굉음을 쫓아 사방에서 달려왔다. 그 사람들 중에는 비보를 듣고 달려온 그의 부모도 있었다. 곧 소방차가 그 집을 에워쌌고, 물길이 뻗어나갔다. 이윽고 사람들이 굳게 잠긴 문을 부수고 들어가자 온 집 안이 형체도 없이 날아가 있었다. 모든 벽과 집기, 가구, 사물, 유서, 그리고 모든 생명체가 이미 불타 있었다. 사람들은 그 우주같이 변한 검은 공간에서, 검게 탄 한 사람의 형체를 발견했다.

◈

크리스마스이브 낮에는 한산한 편이다. 아직 사람들이 일하는 평일 낮이기 때문이다. 하지만 내일은 특별한 휴일이니 밤이 되면 평소보다 훨씬 많은 사람들이 북적거릴 것이다. 이것은 일정한 공식과도 같다.

그래서 지금의 고요는 마치 폭풍 전야와 비슷하다고 생각하고 있는데, 한 형체가 폭풍처럼 응급실로 들어왔다. 불탄 숯덩이 같은 형체를 두고 대원들은 심폐소생술중이었다. 남자로 추정되는 검은 형상은 사지를 뻗고 누워 있었고, 주황색 옷을 입은 대원은 그의 흉부를 누르고 있었다. 그의 몸은 너무 심하게 불탄 듯 보였으며, 심지어 아직도 불타는 것 같았다. 매캐한 연기가 전신에서 피어오르고, 옷 따위는 진작에 날아가 헐벗은 피부가 검게 구워져 바삭바삭했다. 대원들의 옷자락과 손은 온통 검댕투성이여서 화재 현장을 그대로 옮겨놓은 것 같았다.

카트는 김을 모락모락 피워올리며 들어와 곧 집중치료실 한복판에 멈췄다. 나는 사정을 한 문장으로 요약해 들었다.

"집에서 가스를 폭발시켰답니다."

"이런 미친……"

반사적으로 혼잣말이 튀어나왔다. 하지만 이유가 어떻건, 살려야 했다. 심정지가 확실하니 먼저 기도를 확보해야 했다. 나는 한 대원이 그의 입가에 붙인 채 짜던 엠부를 받아쥐고, 삽관하기 위해 그의 얼굴을 보았다. 얼굴은 검게 타서 표정도, 형체도, 심지어 머리카락

한 올조차 남아 있지 않았다. 고민할 겨를도 없이, 나는 엠부를 떼자마자 장갑 낀 손으로 그 형체의 목을 뒤로 힘껏 젖혔다. 관절은 오래된 고기처럼 질겨 저항이 심했고, 특유의 매캐한 냄새가 사방으로 퍼져나갔다. 이어서 말라버린 입술 사이를 엄지와 검지를 이용해 강제로 비집고 연 다음 블레이드를 밀어넣고 거기서 나오는 연약한 불빛에 의지해 코를 박고 입안을 들여다보았다. 안은 이미 다 녹아 흘러내려 있었다. 급한 마음에 튜브를 집고 기도가 있었으리라 짐작되는 부분을 사정없이 쑤셨다. 기도 입구의 살이 뭉개져 튜브는 들어가지 않고 대신 질긴 살이 마구 묻어나왔다. 곤죽 더미를 헤집는 순간 나는 깨달았다. '이 안은 이미, 내가 생각하는 질서의 우주가 아니다. 이 사람도 마찬가지다. 이 사람은 죽었다.'

　나는 손에 들고 있던 것을 던져버리고 남자를 자세히 보았다. 전신이 미라처럼 까맣게 바짝 말라 있었다. 이처럼 심하게 탄 사람은 처음 보았다. 아니, 살아 있는 생명체를 이토록 태운 것조차 처음 보는 일이었다. 그리고 나는 옛날 고비 사막 횡단 때 본 구운 양의 머리를 떠올렸다. 그 사막의 혹한을 견디기 위해, 위구르족은 양의 머리를 구워서 먹는다. 양의 뇌에는 기생충이 많기 때문에, 그들은 양의 두개골을 훨훨 타는 불길 한가운데 넣어 그 안의 뇌와 뇌수까지 충분히 익힌다. 그래서 조리되어 식탁에 오르는 양의 두개골은, 누가 봐도 악의를 가지고 시커멓게 구운 형상이다. 그렇게 구운 두개골은 이제 망치로 조금만 내리쳐도 형상이 부스러지고, 그 안에 알맞게 익은 뇌를 숟가락으로 떠 먹을 수 있다. 나는 이 남자의 머리가 그때 목격했던 양의 두개골과 흡사하다는 생각이 들었다. 하여간 이런 형상의 두개골을 지닌 사람은 성탄제에 참가할 자격이 없었다.

"소생술 중지. 즉사했습니다."

간호사는 하얀 리넨을 가져와 그의 시체에 덮었다. 검댕이 하얀 모포에 검게 묻어나왔고, 그의 얼굴과 사지가 하얀 모포 밖으로 삐져나왔다. 허름하게 차려입은 그의 부모는 사망 소식을 듣자마자 그에게로 어기적거리며 달려왔다. 너무 격해 있어 그들의 감정의 결이 한번에 파악되지 않았다. 그의 아버지는 중국에서 온 양 머리 같은 그의 얼굴을 주저 없이 내리치며 소리 질렀다.

"이 비열한 새끼, 멍청한 자식, 개자식, 너는 살 자격이 없어."

그의 주먹에서도 검댕이 묻어나왔다.

반면 그의 어머니는 한쪽에서 그의 탄 손을 붙들어 얼굴을 묻고 손발을 뻣뻣이 편 채 통곡하기 시작했다. 솜씨 나쁜 요리사가 망친 요리에서 날 법한 탄내가 아직 소생실에 가득했지만, 그들의 부모는 그 끔찍한 냄새에도 개의치 않는 듯했다. 한순간에 그들의 아들은 즉사했고, 그들의 좁은 보금자리는 단숨에 날아가버렸다. 그들은 이제 성탄제에 돌아갈 곳을 잃었을 뿐만 아니라, 하나뿐인 아들도 더이상 세상에 없었다. 아버지는 인간의 형상이 아닌 것 같은 그 몸을 내리치며 쉴 틈 없이 욕설을 뱉었다.

"개자식, 개새끼, 비열한 개새끼."

손발을 부르르 떨고 있던 어머니는 이제 모든 얼굴 근육을 사용해서 우느라, 오히려 너무 심하게 웃고 있는 것처럼 보였다. 극에 달한 감정은 결국 표현하기조차 버거워, 종국에는 희비가 비슷해지는 것 같았다. 검댕투성이가 되어버린 그녀의 팔이, 이미 타버린 아들의 것처럼 뻣뻣했다.

나는 할 일이 끝나 그대로 소생실에서 나왔다. 등뒤에선 이제 괴상한 함성으로 변해버린 곡소리가 들려왔다. 나는 문득 등뒤를 돌아보았다. 흡사 거적 같아진 리넨 아래로 삐져나온 그의 두 발이 보였다. 그가 선 채로 지면을 딛고 불길을 맞았기 때문일까. 발바닥만은 유난히 하얗고 창백하게 불타지 않은 모습이었다. 그래서 그의 발바닥과 발등은 극명한 대비를 이루고 있었다. 그것은 내가 본 것 중 가장 묘한 인간의 발이었다. 나는 그것이 산 자와 남은 자의 경계인지, 행복한 자와 불행한 자의 경계인지, 아니면 아직 불타지 않은 그 생의 한 조각 미련인지 분간할 수가 없었다.

그 남자는 그렇게 우주로 떠났다. 하지만 그가 너무 완벽하게 주변까지 우주로 만들어버린 탓에, 장례가 끝나면 부모는 몸을 누일 곳도 없어 길거리에 나앉아야 할 터였다. 하여간 그들은 당장 응급실에서 떠나야 했다. 응급실에 탄내만 남긴 채 곧 모두 어디론가 사라졌다. 나는 사망진단서에 외인사外因死라고 써서 열 장 출력한 뒤, 검게 탄 머리를 생각하면서 낮시간을 보냈다. 바깥 창에는 아직 눈이 소복이 내리고 있었다.

밤이 되자 예측대로 성탄제의 사람들이 몰려들었다. 평소보다 많은 숫자라 더이상 창밖을 내다보거나, 검게 탄 머리를 생각할 틈이 없었다. 어떤 사람들은 성탄제와 전혀 관계없어 보이고, 어떤 사람들은 하필 성탄절을 응급실에서 보내고 있다는 사실에 좀 아쉬웠다. 나는 평소와 비슷한 감정으로, 그들을 기계적으로 진료했다. 그러면서 어쩌면 성탄제와 가장 관계없는 사람은 나일지도 모른다는 생각이 들었다.

자정이 되기 전 한 노인이 왔다. 와병이 오래되어 뼈마디가 고스란히 보이고 가죽이 늘어져 있었다. 보호자가 설명했다. "평소 누워서 숨만 간신히 쉬셨는데, 오늘은 그것조차 못하게 되셨습니다." 노인은 입을 쩍 벌린 채 부릅뜬 눈을 감지 않고 허공을 바라보고 있었다. 생명이 다해 말라서 죽어버린 느낌이었다. "네, 장례 처리하시도록 하지요." 그 노인은 결국 주님의 생일까지 살아서 버티지 못했다. 하지만 그랬다고 할지라도 망자가 축복받은 표정을 짓기는 어려웠을 것이다. 그를 제외하고는 성탄절에 더이상 아무도 죽지 않았다.

새벽에는 흩날리는 눈송이처럼 많은 사람들이 줄지어 찾아왔다. 들뜬 사람들은 서로 부딪치고 베이고 쓰러져 각자의 사정으로 내 앞에 나타났다. 심하게 다친 사람들은 없었다. 그들의 진단명은 대부분 골절, 염좌, 타박, 열상에 그쳤다. 다만 골절이라는 말을 들은 사람들은 조금 더 불행했고, 염좌나 타박이라는 말을 들은 사람들은 조금 덜 불행했다. 하지만 내겐 그들이 어떤 의미에서 잠시 불행하고, 많은 시간 행복한 것처럼 보였다.

깊은 새벽이 되자 골절, 염좌, 타박, 열상 환자가 조금 줄었다. 나는 겨울밤 풍경이 내다보이는 당직실에서 잠시 몸을 닐 수 있었다. 하지만 몸이 심하게 소모되어, 눈을 감으면 박동 소리가 귓가에 울릴 정도로 심장이 쿵쾅거렸고, 머리로 향하는 혈액이 과해 마치 뇌로 즉시 쏟아지는 듯한 느낌이 들었다. 고삐 풀린 심박 수만큼 골절, 염좌, 타박, 열상 등의 불행이 내게 줄달음쳐오는 것만 같았다. 잠시 검게 탄 머리가 떠오르며 정신이 몽롱해질 때면 고요를 깨는 전화가 울렸다.

243

또 불행한 사람들의 골절, 염좌, 타박이 찾아왔노라고. 그러면 나는 매번 움직이지 않는 몸을 억지로 일으켜, 불행의 전열을 가다듬고 팔을 크게 흔들며 응급실 복도로 나섰다.

이렇게 나는 20대의 마지막 성탄절 밤을 보냈다.

스물여섯 시간 넘는 근무를 마치자 동이 텄다. 눈발은 이제 멈추어 있었다. 나는 여태껏 숨만 쉬다가 이제 그것마저 못하게 된 기분이었다. 천천히 인계를 마치고 밤새 눈이 덮여 지저분해진 차에 올랐다. 거리는 전날 사람들이 눈을 맞으며 흥청망청 흩뿌렸을 행복의 잔해까지 깔끔하게 치워진 채 한산했다. 휴일 오전이라 평소보다 사람들은 적었다. 물론 골절, 염좌, 타박, 열상 등의 잔해도 거리에선 보이지 않았다. 마침 쓸쓸한 노래가 세상에 새로 나와 크게 틀렸다. 하얗고 서늘한 하늘을 배경으로 음악이 울렸다. 집으로 가는 멀지 않은 길에 호된 졸음이 쏟아져 차가 몇 번 멈추어 섰다.

가족들은 망중한을 즐기고 있었다. 나는 어렵고 고되게 번 돈으로 밥을 먹으러 가자며 가족들을 깨웠다.

"성탄절이잖아요."

눈발이 흔적처럼 성기게 다시 내렸다. 불판 위의 고기는 검은빛을 띠지 않고 알맞게 구워졌다.

"어제 한 남자가 가스 폭발로 죽었어요."

가족들은 전날 벌어졌던 비극을 심드렁하게 들으며 고기를 먹었다. 그렇다, 비극은 반복해서 듣기만 해도 지겨워진다. 직접 겪는 비극이어도 그럴 것이다. 나는 질기고 무딘 고기 같은 머릿속을 굴리며 고기가 타지 않도록 알맞게 구워먹다가 가끔씩 졸음으로 정신이 나갈 뻔했다.

돌아오는 길에는 빗금 같은 햇살마저 내렸다. 조금의 행복감으로 나는 잠시 놀랐지만, 역시 어떤 사랑하는 이도 나를 불러주지 않았다. 나는 돌아오자마자 무너져내릴 것 같은 몸을 침대에 눕혔다. 졸음으로 손발이 뻣뻣해졌다. 잠시 간밤의 골절, 염좌, 타박, 열상 등을 연상하다가, 죽음과도 같은 잠에 빠져들었다.

눈을 뜨자 한밤중이었다. 사람들이 술을 따라 마시거나, 애인의 손을 잡고 숙박업소 근처에서 서성일 시간이었다. 몸은 날카롭지 않고 둔했으며, 몰골은 추했다. 나는 분통이 터질 정도로 심한 허기를 느끼며 식탁으로 나와 닥치는 대로 입에 밥을 떠넣었다. 신경이 무뎌지면 잠시 수저를 들고 멍청하게 앉아 있다가, 가열되면 또다시 떠넣었다.

거실에서는 아버지가 TV를 보고 있었다. TV 속에서는 남을 웃게 하는 직업을 가진 사람들이 나와서 익살을 떨고 있었다. 늘상 행복의 범주 안에서만 말하고 행동해야 하는 직업, 어쩌면 가장 절박한 직업 아닐까. 절대로 볼 수 없는 달의 뒷면처럼, 그들이 감춘 이면이 그들의 전부를 구성해버린다면, 결국 종국에는 영영 불행해지지 않을까. 나는 내가 저런 직업을 택하곤, 고독이 어느 해충의 독소처럼 온몸에 피어올라 돌연사하는 장면을 상상했다.

그들의 익살에 나는 잠시도 웃을 수가 없었다. 그래서 방금 전에 나온 침대에 다시 누워 추한 이들이 서로 사랑하다 불행해지고, 사랑은 전부 이해가 아닌 오해라고 주장하는 책을 집어 읽었다. 그리고 그 사람이 불행하기에 추해진 것인지, 아니면 추한 것이 곧 불행한 것인지 갈등했다. 평생을 증오받는 것과 죽어버리는 것 중 어느 것이 나은지에 대해서도 고민했다. 나는 문득 사랑했지만 어딘가에서 다른 사람과 밤을 보내고 있을 이들에 대해 생각했다. 혹은 제대로 사랑하지도 못하고 다른 이의 여자가 되어버린 이들에 대해서도 생각했다. 혹은 사랑했지만 어떠한 사이도 아니었으므로 지금 생각조차 나지 않는 사람에 관해서도 생각했다. 나는 고독하게 우주의 한 점으로 누워 있고 그들은 너무 멀었다. 나는 고독을 잉태하느라 이렇게 누워 있다. 이제 이것들은 내 혈관을 타고 돌고, 신경을 죄고 풀며 나에게 골절, 염좌, 타박, 열상 같은 것을 일으킬 것이었다. 이들이 다 자라면 나는 세상에 모든 적막을 풀어놓고, 증오도 받지 못한 채 죽겠지.

그리고 나는 죽기 전에 마지막으로 고비 사막 길거리에서 불타던 양 머리에 관해 떠올릴 것이다. 이 생은 흔한 거리에 내던져지고, 화염을 뒤집어쓰고, 내려치는 주먹을 맞는 개자식에 가까운 것이라고, 이 생이…… 이런 생은…… 생각이 머릿속 깊이 맴돌자, 내 우주가 전부 회오리쳐 진동하는 느낌이 들었다. 내일의 불행을 견디기 위해 다시 죽음과도 같은 잠 속으로 빠져들어 의식을 잃었다.

그리하여 나의 20대와 함께 성탄절도 지나고 새로운 30대가, 그 처참하고 먹먹한 불행이 다시 나에게.

정우철을
기억하며

그는 외과의사였다. 의대에 입학하고, 밤을 새워 수많은 시험을 준비하며 학창 시절을 보냈다. 그가 보낸 도서관에서의 힘겨운 날들을, 국가고시를 통과하고 일련번호가 적힌 면허증을 받아들었을 때 그가 느꼈을 기쁨을, 나는 안다. 그리고 그는 대학병원 인턴이 되었다.

인턴 생활은 곧 병원에서의 삶으로 요약될 수 있다. 1주일에 한 번 병원 밖으로 나갈 뿐 나머지 시간에는 정해진 일과를 수행하며 혹시라도 있을지 모를 호출을 기다리면서 병원에서 숙식을 해결한다. 잠은 예사로 부족하고, 몸은 항상 고되다. 이렇게 4주씩 13개 과를 순환하면 인턴 생활이 끝나고, 자신이 지원한 과에서의 레지던트 생활이 시작된다.

그는 4년간의 외과 수련을 선택했다. 외과 의사로서의 하루하루는 다이내믹하다. 하지만 외과 의사로서의 한 달, 1년은 단조롭다. 조금 덜 힘든 날과 아주 많이 힘든 날이 반복될 뿐이다. 매일 그날의 수술 이 끝나면 병동으로 올라와 환자를 보고 지쳐 곯아떨어진다. 응급수 술이 있거나 환자의 상태가 안 좋으면 그마저도 할 수 없다. 매번 수 술은 기약 없이 길고, 때때로 환자는 죽는다. 외과의 모든 일정은 어 김없이 새벽 6시에 시작한다. 모든 의국원은 그 시간부터 일한다. 마 음 편히 잘 수 있는 때가 없어 하루 일과는 길다. 습관적으로 졸음을 참아야 한다. 잠시 술을 마시는 것만이 그들의 유희. 그것도 드물게 비번인 날, 늦은 밤, 잠깐.

하루는 길지만 한 달, 1년은 쏜살같다. 이 생활을 버틸 수 있는 것 은 언젠가 자신이 좀더 훌륭한 외과 의사가 될 수 있으리라는 생각 때문이다. 여러 해 뒤에 외과 전문의가 되어 수술을 집도하는 것으 로 힘든 날들은 보상받는다. 그렇게 모든 외과 의사들은 자신의 젊음 을 병원에 바친다. 전날의 피로가 채 풀리지 않은 몸을 억지로 일으 키고, 모두가 깊은 잠을 잘 때 혼곤한 정신을 깨우며, 늘상 집에 들어 가지 못하는 긴 일상을 그도 그렇게 버텨냈다. 하지만 그는 누구보다 쾌활했다. 응급실에서 호출을 받으면 그는 늘 피로에 절었어도 미소 를 잃지 않았다.

"환자 어디 있어, 안 좋은 거 아니야?"

"이건 외과 의사가 해결해야지. 이 환자 우리가 책임질게."

그는 늘 믿을 수 있는 의사였고, 특유의 서글서글함과 선량함으로 모든 환자와 의료진에게 친절했다.

하지만 힘겨운 수련이 막바지에 달할 무렵 그에게 믿을 수 없는 피로감이 몰려왔다. 그는 외과 의사가 늘 겪는 피로와 자신의 몸 상태를 구분하기 어려웠다. 종일 구역질이 나고 하루에 한 끼밖에 먹을 수가 없어도, 그는 어제 있었던 지나치게 긴 수술이나 만성적인 과로 때문이라고만 여겼다. 당장 그의 앞에는 주어진 일이 산더미였고, 하루쯤 짬을 내서 쉬는 것조차 수련의에게는 상식 밖의 일이었다. 그는 결국 그 몸으로 1년을 더 버텨 수련 일정을 마쳤다. 그리고 전문의 시험 준비를 위한 석 달 간의 휴가를 받고서야 자신의 몸 상태를 있는 그대로 마주하게 된다. 그는 곧 자신이 수련받던 병원으로 돌아가 내시경을 받았고, 그 결과를 직접 확인했다. 진행성 위암이었다. 그 내시경 사진은 자신이 지난 몇 년간 봐왔던 어떤 환자의 사진보다도 더 명확해 마치 교과서에 실려야 할 것만 같았다. 그의 나이 서른두 살이었다.

그는 자신이 젊음을 바쳤던 수술대 위에 누웠다. 후배 외과의가 위암에 걸렸다는 소식에, 외과 의국에서는 꾸릴 수 있는 최상의 수술진을 모았다. 집도는 그의 스승이자 몇 년간 고락을 함께 나누었던 교수님이 맡았다. 그들은 만반의 준비를 마치고, 마취된 그의 배를 열었다. 그리고 곧 그들은 깊은 절망에 탄식을 뱉었다. 암세포가 복강 전체에 퍼져 있었다.

암세포가 복강 전체에서 육안으로 보일 만큼 발견될 경우, 외과 의사는 수술을 더 진행하지 않고 배를 봉합한다. 이는 수술이 불가능해서가 아니다. 이 정도로 진행된 말기암을 수술적으로 제거해도 의학적으로는 생존율이 전혀 올라가지 않기 때문이다. 일명 '오픈 엔 클로즈Open & Close', 줄여서 O&C 수술. 외과 의사는 배를 닫아야 한다고 판단한 순간, 자신이 외과적으로 환자에게 더이상 해줄 수 있는 일이 없음을 깨닫는다. 그래서 이 수술은 가장 짧고 간단하게 끝나지만, 가장 절망적인 수술이기도 하다.

그러나 평생 개복수술을 해온 외과 교수가, 그와 얼마 전까지 고락을 함께한 제자의 절망적인 복강을 보고선 그대로 돌아설 수 없었다. 피가 거꾸로 솟구치는 기분을 느낀 그는 대수술을 선언한다. 배는 30센티미터도 넘게 열렸다. 위는 통째로 절제되었고, 아직 전이되지 않은 소장과 식도가 이어졌다. 대장간막도 복잡한 과정을 거쳐 제거되었다. 이 과정이 끝나자 그는 복강을 손으로 뒤져 전이된 림프절을 하나하나 찾아내기 시작했다. 지난하고도 긴 작업이었다. 수술대 위에는 부어오른 림프절이 100개도 넘게 쌓였다. 뒤지고 또 뒤져, 이제 더이상 단 하나의 림프절도 발견되지 않을 지경이 되자, 그는 복강을 세척하고 대신 복강 안에 항암제를 가득 채운 후 닫았다. 열 시간이나 걸린 대수술이었다. 그것은 수술이라기보다는 차라리 생명을 걸고 혼신의 힘을 다해 이뤄낸 어떠한 행위 같았다.

수술 후 조직검사에서는, 교수님이 손댔던 모든 것이 암이었다는 끔찍한 결과가 나왔다. 장래가 촉망되는 외과 의사이자 육체적으로 평범한 성인 남성이었던 그는 그날 이후 공식적으로 대수술을 마친 말기암 환자가 되었다. 병원에는 막 수련을 마친 그의 기구한 사연과, 제자를 위해 가망 없는 수술을 이어가던 당시의 절박한 공기가 회자되었다. 병문안과 격려가 이어졌지만, 이제 그 스스로 이겨내야 하는 일이 너무 많았다. 일단 수술이 성공적이었어도, 그의 남은 생은 변함없이 6개월이었다.

중환자실에서 눈을 뜬 그의 배에는 30센티미터나 되는 긴 흉터가 남아 있었다. 복강은 열 시간이나 열려 있었고, 위와 대장간막이 제거되어 있었으며, 찰랑거리는 독한 항암제가 그의 복벽과 수많은 상처를 자극했다. 그는 배의 근육을 움직이는 것만으로도 극심한 고통을 느꼈다. 하지만 배를 움직이지 않고는 숨을 쉴 수 없었다. 그가 할 수 있는 일은 쉼 없는 통증을 느끼며 무기력하게 누워 있는 것뿐이었다.

치료 방식은 그의 배에 연결된 관으로 며칠마다 항암제를 갈아주는 것이었다. 그는 끊임없이 고통을 호소했고, 진통제 용량은 올라만 갔다. 결국 며칠 만에 소장과 식도를 연결한 부위가 견디지 못하고 터져 염증이 생겼다. 다시 수술할 도리는 없어 항생제와 항염제로 버텨야 했다. 어느덧 폐에는 물이 찼고, 움직이지 못한 엉덩이에는 욕창이 생기기 시작했다. 대수술에 의한 통증에 각종 합병증까지 찾아와, 그는 처음 예견된 2주를 넘기고 한 달간을 병원에서 보냈다. 그럼에도 증상은 나아지지 않았다. 그의 몸무게는 이미 10킬로그램이나 빠져 있었다.

그에게는 이 모든 것을 같이 감당해야 하는 아내가 있었다. 그녀는 같은 병원의 간호사였다. 아직 신혼이었고, 태어난 지 얼마 되지 않은 아들도 있었다. 같은 의료진이었으므로, 그녀는 자신의 남편이 어떤 상황에 처했는지 누구보다 잘 알았다. 하지만 그녀는 좌절하지 않고 사랑하는 남편 앞에 닥친 일을 함께 견뎠다. 하루아침에 중환자가 된 남편을 본 정신적 충격을 이겨내기도 쉽지 않았지만 당장 남편을 간호하며 현실적으로 견뎌내야 하는 많은 일들까지 그녀를 기다리고 있었다. 한 달여가 지나자 환자는 합병증에 지쳐만 갔고, 그녀는 감당해야 하는 고된 일에 지쳐갔다. 그러던 중 그녀는 인터넷에서 위암 환자들이 모이는 카페를 하나 찾아냈다. 그곳에는 투병중인 전국 각지 위암 환자들의 치병기治病記와 서로에 대한 격려의 글들이 있었다. 이미 저세상으로 간 사람의 일대기부터, 더 심각한 질병을 극복한 사람이나 이제 진단을 받았으나 희망을 잃지 않으려는 사람들이 자신의 이야기를 들려주고 있었다. 그것은 그들의 눈앞에서 지나치게 많이 스쳐갔으나 끝내 속내를 알 수 없던 환자들의 이야기였다. 의사로서 환자와 나눈 진정한 교류의 시작, 그 시점부터 그는 환자로서의 삶을 자각하고, 거짓말처럼 합병증을 극복하기 시작했다. 입원한 지 두 달째, 그는 퇴원할 수 있었다.

퇴원한 그를 기다리는 것은 진정한 환자로서의 삶이었다. 퇴원 2주 만에 그는 항암 일정으로 병원을 다시 다녀야 했다. 자신과 같이 수련을 받은 동기들이 한창 오랜만에 찾아온 휴식을 즐기며, 전문의 시험을 통과하고 전문의가 되어갈 즈음이었다. 그는 숨 가쁜 인생을 돌이켜 보았다. 매일같이 자신을 지나치던 환자들과 그들을 치료하던 자신의 모습, 곧 전문의가 되어 당당히 수술을 집도하리라 여겼던 자신의 꿈. 하지만 일순간에 그 역할은 역전되었고, 그는 그가 보았던 환자 중에서도 가장 심각한 상태의 환자가 되었다. 자신의 병을 누구보다 잘 알고 있었음이 그에게는 절망적이었을 것이다. 항암 일정 때문에 꿈에도 그리던 전문의 시험은 엄두도 낼 수 없었다.

6개월로 예정된, 끝이 언제 찾아올지 모르는 몸으로 그는 가족에게 피해가 가지 않게 신변을 정리하는 일을 택했다. 지친 몸과 마음을 편히 쉬며 지내기 위해 산속의 공기 좋은 요양병원에 입원했다. 일생 대학병원에서 지냈던 그에게, 그곳은 또다른 세계였다. 대부분 만성 환자나 말기 환자들이 모여 각자의 인생을 견디고 있었다.

산속 병원에서 그는 눈에 띄는 사람이었다. 지나치게 젊었고, 삶이 얼마 남지 않은 말기 환자였으며, 의사였다. 가끔씩 뒤바뀐 인생이 믿기지 않아 절망할 때, 같은 병을 지닌 사람들은 다가와 그의 마음을 다독였고, 많은 이야기를 나누어주었다. 그는 자신이 의사일 때에는 보지 못했던 다른 세상을 보기 시작했다. 그는 환자였지만, 자신이 의사라는 사실도 잊지 않고 있었다. 그래서 자신이 앞으로 할 일을 마음속으로 결정하고 다짐했다.

"나는 회복할 거야. 그렇지 않고는 이 은혜를, 이 마음들을 갚을 수가 없어. 남은 삶 동안 암 환자를 도우며 살 거야."

그런 마음을 갖기 시작하자 그의 몸은 기적적으로 나아지기 시작했다. 그는 휴약기에 주변 환우들의 의료 상담을 자처하기도 하고, 인터넷 카페를 통해 상담을 시작했다. 불시에 걸려오는 전화도 마다하지 않았다. 그의 가족은 그의 뜻을 깊이 이해했지만, 혹여나 그가 다시 건강을 잃을까 걱정하며 만류했다. 하지만 그의 답은 한결같았다.

"내가 더 큰 위로를 받고 있어. 나는 빚을 갚고 있을 뿐이야."

그에게 선고된 6개월의 시간은 어느덧 지나갔고 늘 주사로 맞아야 했던 항암치료도 경과가 좋아 먹는 약을 복용하는 것으로 바뀌었다. 부작용이 줄어들자, 그는 모임에서 상담과 멘토링을 도맡았다. 외과 의사인 그에게 사람들은 더욱 의지했으며, 그는 항암치료로 치르지 못했던 전문의 시험도 준비해서 합격했다. 수련을 마치고 1년 만에 그는 외과 전문의가 되었다.

그는 너무나 기뻤다. 더이상 메스를 잡지 못할지라도, 의사로서 다시 일을 시작하고 싶었다. 그리고 자신이 언제 죽을지 모르는 몸일지라도, 이것으로 삶의 의미를 찾은 것 같다고도 했다. 그가 이야기하던 '참으로 행복한' 한 해가 지나갔다.

이듬해부터 그는 자신이 입원했던 산속 병원에 의사로 취직했다. 그리고 그를 보러오거나 인터넷으로 상담을 받는 암 환자들을 돌보기 시작했다. 하지만 궁극적으로 그가 하고 싶던 일은 따로 있었다.

그는 그가 지냈던 대학병원의 실상을 누구보다 잘 알고 있었고, 환자들의 처지도 누구보다 잘 알았다. 그리고 그 사정을 모두 다 잘 알았기에 환자들이 겪는 고충이나 괴로움을 진심으로 이해했다. 대학병원의 의사들은 지나치게 바빴다. 그래서 환자들은, 각자의 일생을 송두리째 바꿀 만한 병을 맞닥뜨리고도 간단하고 사무적인 설명만 들을 수 있었다. 그는 환자들에게 그들이 직면한 정확한 병세와, 그들이 할 수 있는 선택과, 앞으로 바뀌어야 할 인생에 대해서 알려주고 싶었다. 그는 곧 인터넷 카페를 통해 환우회를 개최했다. 한적한 시골 카페에 모여 각자 준비한 음식을 나누어 먹고 즐거운 시간을 보내며, 병원 진료 기록을 가져오면 한 명 한 명 가족처럼 상담해주는 프로그램이었다. 그는 진통제를 먹어가며 열심히 설명했다. 그는 모임을 개최할 때마다 이렇게 말했다.

"자신의 상태를 정확히 모르고, 잘못된 선택을 하는 사람들이 의외로 많습니다. 저는 그분들을 도와주고 싶습니다. 저는 이 치료가 마무리되면, 개원한 의사가 되어 더 많은 분들에게 도움이 되고 싶습니다."

하지만 투병 3년째, 그에게 불현듯 복통이 찾아왔다. 지난달 건강
검진상으로 이상이 없었기에, 그는 흔한 장염으로 생각했다. 하지만
응급실로 실려간 그는 패혈증을 진단받곤 사경을 헤매며 열흘간 중
환자실에 입원했다. 그리고 곧 뱃속에 재발한 암 덩어리가 발견된다.
그는 다시 수술대 위에 올랐다. 암 덩어리가 제거되고 퇴원한 그가
환자로서의 삶을 이어가던 한 달 남짓, 그의 장이 다시 막혔고, 암
이 또다시 재발했다. 네 달간 두 번의 수술이 더 있었다. 마지막에
는 손을 댈 수 없어 그냥 배를 덮었다. 이제 치료 방법은 남지 않은
셈이었다.

점차 병세는 악화되었고, 끝까지 시도했던 항암치료는 결국 무위
로 돌아갔다. 황달이 너무 심해 퇴원할 수 없어 그는 죽기 전 8개월
을 병원에서만 보내야 했다. 그는 거동하지 못하는 몸을 누인 채, 자
신이 이루지 못한 꿈을 생각했다. '내가 죽으면 내가 돌보던 환자들의
희망이 사그라들 텐데. 아, 살아야 하는데. 그들에게 희망을 주어야
하는데.' 하지만 그의 정신과는 달리 말라가는 몸은 죽음으로 향해
갈 뿐이었다. 결국 그의 몸은 전부 샛노랗게 변했고, 그가 지켰던 다
른 암 환자의 임종 때 봤던 것처럼 뼈마디만 앙상하게 드러났다. 그
의 가족은 그가 이제 곧 세상을 떠날 것을 알았다. 그래서 아직 어린
아들을 불렀다. 아이는 아빠를 안았다.

"잘 가세요. 아버지, 저는 훌륭한 사람이 될 거예요."

그는 들릴 듯 말 듯 조용한 목소리로 힘없이 대답했다.

"그래…… 나도…… 훌륭한 사람이 되고 싶었다."

그리고 다음날 새벽, 그는 의식을 잃었다. 그의 곁을 지키던 아내는 흐느끼며 그에게 마지막 말을 남겼다.

"나는 마음의 준비를 하지 못했어. 하지만 당신이 이겨낸 것처럼, 나도 이겨내고 말 거야. 걱정하지 말고 가, 우리 걱정은 하지 말고, 가……"

2016년 7월 29일, 새벽 3시 18분, 그는 영원히 떠났다. 그가 위암 선고를 받은 지 3년 8개월 만의 일이었다.

그는 나와 같은 학교에서 공부했던 학우이자 같은 병원에서 수련을 받은 동료였다. 그는 나와 같이 힘든 학창 시절을 보냈고, 잠시 여유가 생기면 같이 술을 마시며 고충을 털어놓던 사람이었다. 병원에 입사한 후, 그는 응급실에서 호출하면 환자를 보러 내려오던 외과 의사였고, 환자와 관련된 일이 마무리되면 조용한 곳에서 서로 사담을 털어놓던 사람이었다. 그는 모두에게 좋은 사람이었다. 하지만 수련 과정을 마치고 나면 우리는 각자의 길을 가야 했고, 어쩌면 그는 한때 힘든 시간을 공유했던 평범한 옛 동료로 나에게 기억될 수도 있었을 것이다.

하지만 그의 발병 소식을 전해듣고 나는 이제 그가 수많은 동료와는 전혀 다르게 기억될 것임을, 그리고 그가 수많은 동료와는 완전히 다른 인생을 살아야 할 것임을 깨달았다. 우리들은 그에게 일어난 일 하나하나를 모두 안타까워했지만, 우리가 의사였어도 그를 도울 방법은 많지 않았다. 다만 그가 직면해야 했던 질병과 고통에 대해서 더 깊이 이해할 수 있을 뿐이었다. 그리고 연이어 들려오던 그의 투병 소식과, 아픈 몸에도 불구하고 그가 환자를 돌보고 있다는 소식과, 안타까운 그의 마지막 순간까지. 그는 앞만 보고 달리던 우리에게, 우리의 몸과 젊음은 덧없이 스러질 수도 있음을, 그리고 그것이 우리가 숱하게 접하는 다른 환자와 다르지 않다는 점을 새삼 일깨우며 마음을 저리게 만들었다.

나는 그의 죽음을 전해듣고 매우 슬펐다. 하지만 나는 그의 삶이 불운했거나 불행했다고 말할 수가 없었다. 그는 이른 나이에 앓았고 결국 죽음에 이르렀지만, 어떤 상황에서든 자신이 할 수 있는 일을 찾았으며 끝내 그에게 주어진 의사라는 직업을 수행하며 가장 겸손하고 낮은 자세로 환자를 돌보는 삶을 살았다. 그것을 나는 병마에 패배한 삶이라고 부를 수가 없다. 그는 그렇게 끝까지 의사로 살다가 조금 일찍 떠난 동료였을 뿐이다.

그리고 나는 여전히 응급실에서 수많은 환자를 보며, 자주 그를 생각한다. 그의 삶을 생각하며, 나는 내가 돌보고 있는 이 사람들이 언젠가는 나의 동료가 될 수도, 혹은 내가 될 수도 있음을 상기한다. 그리고 내가 부족해 혹시 환자에게 충실하지 못하거나 마음을 다하지 못하고 있는 건 아닌지 문득 걱정스러워질 때마다 항상 진심으로 모든 이를 대했던 그를 떠올린다. 그는 세상에 그리 오래 존재하지 못했지만, 그 시간동안 누구보다 단단한 삶을 살았기에, 내 마음속에서 다시, 또다시 살아나곤 한다. 나는 그와 함께하는 마음으로 앞으로도 숱한 환자를 마주하며 하루하루 치열하게 살아갈 것이다.

지독한 하루

ⓒ 남궁인 2017

1판 1쇄 2017년 7월 21일
1판 18쇄 2023년 7월 28일

지은이 남궁인

기획 김소영 | 책임편집 구민정 | 편집 김소영 이현미 | 디자인 최정윤
마케팅 정민호 한민아 이민경 안남영 김수현 왕지경 황승현 김혜원 김하연
브랜딩 함유지 함근아 박민재 김희숙 고보미 정승민 배진성
저작권 박지영 형소진 최은진 서연주 오서영
제작 강신은 김동욱 이순호 | 제작처 영신사

펴낸곳 (주)문학동네 | 펴낸이 김소영
출판등록 1993년 10월 22일 제2003-000045호
주소 10881 경기도 파주시 회동길 210
전자우편 editor@munhak.com | 대표전화 031)955-8888 | 팩스 031)955-8855
문의전화 031)955-3576(마케팅) 031)955-2671(편집)
문학동네카페 http://cafe.naver.com/mhdn
인스타그램 @munhakdongne | 트위터 @munhakdongne
북클럽문학동네 http://bookclubmunhak.com

ISBN 978-89-546-4628-4 03810

www.munhak.com